서동용의

따순 밥상
따뜻한 법

오지랖 동네 변호사가 꿈꾸는 공정사회

서동용의
따순 밥상
따뜻한 법

서동용 지음

한스컨텐츠

두 시인에게 배우는
사람과 공동체, 그리고 국가에 대한 사랑

광양과 뿌리 깊은 인연을 이어오는 두 분의 시인이 있습니다. 광양에서 태어나 지역에서 살아가는 많은 사람이 두 분을 삶의 거울로 삼기를 주저하지 않습니다. 한 분은 매천 황현 선생이고 또 한 분은 윤동주 시인입니다.

매천 선생은 광양 출신의 애국지사입니다. 총명함이 남달랐던 선생은 과거를 통해 관직에 나아갔으나 내우외환의 위기에도 부정부패를 그치지 않던 관료들에 환멸을 느껴 귀향하였습니다.

이후 구례 만수동에 구안실(苟安室)을 짓고 3,000여 권의 책을 읽으며 역사와 경세학을 연구하고 글과 시를 지었고 국가가 처한 위급한 상황을 극복할 방법을 정리하여 여러 권의 저작을 남겼습니다.

1905년 을사늑약이 체결되자 매천 선생은 국권 회복 운동을 펼치기 위해 망명을 시도했지만 실패했습니다. 1910년 경술국치로 일제에 나라를 빼앗기자 통분하여 스스로 목숨을 끊었습니다. 이때 쓴 「절명시(絶命詩)」 4수에는 선생의 절절한 심정이 녹아 있습니다.

나라를 사랑하는 시인 매천의 숭고한 마음이 가을 하늘처럼 높고 청명하여 생각만으로도 현재를 살아가는 스스로를 돌아보게 합니다. 죽비 소리처럼 정신이 번쩍 들게 합니다.

만주 북간도에서 태어나 평양과 서울, 도쿄에서 공부한 윤동주 시인이 광양과 인연을 맺은 사연은 각별합니다. 윤동주 시인이 연희전문학교 재학 시절 한집에 기거하며 허물없이 지내던 벗이 정병욱 선생입니다. 시인은 일본으로 가기 전 일제의 탄압으로 발간하지 못한 시집 『하늘과 바람과 별과 시』 육필 원고를 정병욱에게 맡기고 유학을 떠납니다. 정 선생은 일제 학병으로 끌려가기 전 광양 본가에서 올라온 모친에게 유고를 전하며 "목숨처럼 소중한 것이니 잘 간직해달라"고 부탁합니다. 정병욱 선생의 어머니는 마루를 뜯어내고 그 아래에 원고를 고이 보관합니다.

해방 후 그는 소중히 보관하던 윤동주의 친필 유고에 다른 글들을 더 모아서 『하늘과 바람과 별과 시』를 발행합니다. 이것이 문학계에 전혀 알려지지 않았던 윤동주가 문단과 역사의 평가를 받고 민족 시인으로 사랑받게 된 계기입니다. 윤동주 시인의 친필 원고가 보관되었던 진월면 망덕리의 정병욱 가옥은 문화재로 등록되어 '윤동주 유고 보존 가옥'으로도 불립니다. 광양은 요절한 유학생 윤동주를 다시 불러내어 민족 시인으로 일으켜 세운 공간인 셈입니다.

매일 아침 눈을 뜨고 잠자리에 들며 시인의 고뇌와 청년 윤동주의 참회, 자기성찰을 겸허히 제 것으로 받아들입니다. 그의 시, 「십자가」의 "행복한 예수 그리스도에게처럼 / 십자가가 허락된다면 / 모가지를 드리우고 꽃처럼 붉은 피를 / 어두워 가는 하늘 밑에 / 조용히 흘리겠습니다"라는 구절을 되뇝니다.

내가 사는 지역이 두 위대한 시인의 산실이 되었다는 점에 뿌듯한 자긍심을 느낍니다. 두 시인은 시대 앞에 선 자신을 깊이 성찰했습니다. 매천 선생의 "내 일찍이 나라 위해 서까래 하나 놓은 공도 없었으니 내 죽음은 겨우 인(仁)을 이룰 뿐 충(忠)을 이루진 못했어라"(「절명시 제4수」), 윤동주 시인의 "밤이면 밤마다 나의 거울을 손바닥으로 발바닥으로 닦아 보자"(「참회록」)는 시구에는 자기 내면을 들여다보는 치열한 반성이 깃들어 있습니다.

두 시인은 시대의 어둠 앞에 절망하지 않습니다. 시대가 자신에게 부여한 사명을 발견하고 그것을 따르겠노라는 굳은 결의를 밝힙니다. 오늘 두 시인에게서 어떻게 살아야 할지를 배웁니다. 함께 아파할 줄 아는 공감이 먼저입니다. 차디찬 바닷속에 아이들을 희생시킨 사회적 무능과 부패, 매일 세 사람의 노동자가 일터에서 목숨을 잃는 노동 현실을 얼마나 아파하고 있는지 스스로 묻습니다. 자신의 내면을 들여다보며 성찰하는 태도도 소중합니다. 현실의 욕망에 때 묻고 변질되어 가치와 초심을 잃지 않았는지를 매일 돌아보며 살고자 합니다. 마지막으로 나의 소명을 묵묵히 감당하려 합니다. 수고와 희생이 따르더라도 마다하지 않으려 스스로 채찍질합니다.

　무감각과 뻔뻔함, 자기 잇속 채우기가 미덕인 양 여겨지는 이 부끄러운 세태에 물들지 않으려 몸부림치며 애써왔습니다. 앞으로도 쉼 없이 정진할 것입니다. 두 시인에게 배운 공감과 성찰, 소명을 이 책에 담아보았습니다. 더 나아가 이 가치들을 제 인생 전체에 채우고자 합니다.

2019년 12월

서동용

차례

| 3장 | **따뜻한 법률**

1장

공동체의 밥상

동네 변호사 분투기

광양 유일의 변호사 사무실

———

사법연수원을 수료한 2005년 2월에 변호사 개업을 했다. 나는 사법연수원에서 좋은 성적을 받아 판사나 검사로 임용되는 것을 목표로 삼았던 다수의 연수생과는 처지가 달랐다. 1983년 대학에 입학하여 학생운동을 하였고 구속된 경험이 있었다. 대학 졸업 후 인천에서 노동운동을 하였고 이후 고향인 광양시에 내려와 사업을 하며 지역 활동을 병행하다가 뒤늦게 사법시험을 보았다. 나이에 비해 사법연수원 기수가 늦다. 이런 조건이다 보니 판검사 임용이나 대형 로펌은 처음부터 관심 밖이었다.

처음에는 몇몇 지인과 함께 합동 법률 사무소를 열었고 얼마 지나지 않아 혼자서 변호사 사무실을 운영하게 되었다. 그렇게 자리가 잡힌 2007년에는 '민주사회를 위한 변호사모임(민변)'에 가입하여 활동하게 되었다.

2008년 촛불집회 때 경찰의 과잉 진압으로 중상을 입은 이학영 당시 YMCA 사무총장(현재 더불어민주당 소속 국회의원)을 대리하여 국가를 대상으로 한 손해배상 청구 소송을 진행했다. 이 소송으로 경찰 과잉 진압의 불법성을 밝힌 것이 의미 있는 성과였다. 2010년에는 정부 허가 없이 방북한 한상렬 목사의 국가보안법 위반 사건을 변론했다. 이때 북한에 대한 법률적으로 모호한 태도를 지적하고 국가보안법 적용의 합리적 시각을 정립하고자 애썼다.

사실 변호사가 된 후 10년 동안은 일찍 정치에 뛰어든 학생·노동운동 시절 선후배들을 돕거나 민주사회를 위한 변호사모임 소속으로서 시국 사건 변호를 맡아 지원하는 정도로 삶을 위안하며 살아왔다.

그러나 2014년 4월 16일 그날. 모든 것이 송두리째 흔들렸다. 세월호는 우리 모두에게 '국가가 무엇인가?'라는 질문을 던졌다. '이건 나라도 아니다'라는 결론을 얻었을 때는 나라가 이 모양이 되도록 방조한 자로서 심한 부끄러움을 느꼈다. 그리고 박근혜 정권은 말할 것도 없거니와 무기력한 당시 민주당에 대해서도 강한 실망감을 느꼈다.

정치를 바꾸어야 나라가 바뀌고, 나라가 바뀌어야 미래 세대의 안전과 행복을 보장할 수 있다. 정치를 바꾸려면 생활형 샐러리맨 정치인이 아니라 정치의 진정한 가치를 지향하는 사람이 국회의원이 되어야 한다고 생각했다. 내가 정치를 하기로 결심한 동기이다.

나는 정치를 해야겠다고 마음먹었고 2015년 7월 고향 광양으로 변호사 사무실을 이전했다. 그 당시에는 광양에서 유일한 변호사 사무실이었다. 광양은 나와 내 조상의 태가 묻힌 곳이다. 내가 나서 자라고 공부했으며 고민이 들끓던 청춘 시절 사업을 한답시고 땀 흘리며 발품을 팔았던 곳이다. 내 땀과 눈물이 광양 곳곳에 배어 있다.

주민 권리를 위한 싸움
———

광양은 지역 현안과 사회적 쟁점이 많은 곳이다. 어떤 때는 대한민국의 약자가 겪는 설움과 고통이 집약되어 나타나는 지역이 아닐까 하는 생각이 들곤 한다. 이곳에서 나의 법률적 전문성이 힘을 발휘하기를 바랐다. 그래서 힘없는 사람의 눈물을 닦아주고 정의를 세우며 지역 사회 발전에 초석을 세우기를 소망했다. 그리고 더 큰 정치력을 갖고 이를 바탕으로 한국 사회의 가치를 바로 세우고 지역 사회의 발전과 주민의 행복을 위해 근본적이고 큰일을 해보고 싶었다.

지역 변호사로서 가장 먼저 시작한 일은 악덕 사학 재단 이홍하 일가에 의해 소중한 교육권을 침해당한 광양보건대학교 졸업생과 재학생들이 손해배상을 받도록 이끄는 소송이었다. 서남대학교를 비롯한 이홍하 재단의 여러 학교는 폐교 과정을 밟았지만, 특성화된 경쟁력을 갖춘 광양보건대학교가 폐교 위기에 처한 것은 지역민으로서 받아들이기 힘든 일이다.

나는 광양보건대학교를 특성화된 경쟁력을 갖춘 지역 대학으로 다시 세워서 지역 사회와 함께 발전하도록 하는 데 노력을 지속해서 전개하고 있다.

나는 이와 함께 우리 지역의 역사적 아픔을 치유하기 위한 여순사건 특별법 제정을 촉구하는 데 힘을 보태고 있다. 여순사건재심대책위원회에도 참여 중이다. 여순사건의 재심이 시작되었지만, 재판이나 자세한 기록도 없이 억울한 희생을 당한 사람들의 제대로 된 진실을 밝히려면 반드시 특별법이 제정되어야 한다.

임대 아파트의 분양 전환을 적법 절차에 따라 하지 않고 자기 잇속을 세우려는 임대사업자들을 대상으로 한 여러 소송도 진행하고 있다. 이미 국민 세금으로 각종 지원을 받은 회사가 지원 근거가 된 약속을 저버리고 이익을 좇는 것은 정의롭지 못할 뿐만 아니라 법에 어긋난다. 이 과정에서 주민의 소중한 재산권이 위협받는다.

현행법의 틈새를 교묘하게 파고든 건설 회사의 횡포에 맞서 주민의
권리를 지키기 위해 함께 싸울 것이다.

더 큰 짐을 짊어지기 위해

———

광양 지역 변호사로 4년 이상 있으면서 시민들과 아픔을 함께해
왔다. 시민들의 어려움이 있는 곳에서 항상 함께하는 변호사가 되
기 위해 노력했다고 자부한다. 학생운동과 시민운동을 하면서 늘
사회적 약자들과 함께하고자 했던 것이 변호사 생활을 하면서 어
느 정도 발현된 것으로 믿는다.

나는 정치에 큰 뜻을 품고 2015년 7월에 변호사 사무실을 광양
으로 옮겼고 그다음 해 국회의원 선거에 도전하고자 했다. 앞에서
이야기한 것처럼 아까운 생명을 차디찬 바다에 빠뜨리는 참담한
나라가 아니라 미래 세대의 안전과 행복을 보장하는 나라를 만들
기 위해 진정한 가치를 실현하는 국회의원이 되고 싶었다. 하지만
그 시기는 내 뜻대로 되지 않았다.

돌이켜보면 이것이 더 잘되었을지도 모른다는 생각이 든다. 지
역 사회와 주민들의 아픔을 현장에서 직접 부대끼며 함께 느끼고
땀 흘리는 소중한 시간을 가질 수 있었다. 오지랖 넓은 동네 변호
사로서는 제법 자리를 잡았다는 느낌이다.

하지만 지역 사회의 발전과 주민들의 행복을 위해, 더 나아가 우리 사회의 가치와 정의를 세우기 위해 분투할 때마다 막힌 벽을 느끼곤 했다. 정치라는 이름의 높고 두꺼운 장벽이었다. 광양보건대학교 정상화나 여순사건 특별법 제정, 공공건설임대주택 우선 분양의 공공성 회복과 정당한 진행 등은 높은 수준의 정치력을 요구했다. 관련 입법을 정교하게 하고 행정을 압박하며 갈등을 조율할 수 있는 정치 권력이 절실했다.

이제 다시 새로운 도전을 하려고 한다. 이것은 내가 지금까지 해오던 일, 주민 편에 서서 그 어려움을 대변하고 근본적인 발전 방향을 찾아 나아가는 일과 그 본질적 성격이 크게 다르지 않다. 다만 동네 변호사로서 해왔던 것보다 더 큰 힘을 발휘하고 더 근본적인 해결책을 마련하여 지역 사회 발전과 주민들의 행복을 위해 헌신할 것이다.

그동안 정치·경제·사회 각 분야의 국가적 현안들에 대한 분석과 대안에 대한 고민을 나누는 모임에 참여하면서 많은 공부를 해왔다. 그리고 사람에 대한 깊은 이해를 위해 인문학적 소양이 꼭 필요하다고 생각하여 다양한 독서를 하였고 인문학 프로그램에도 참여해왔다. 현실 정치를 할 목적으로 한 준비는 아니었지만, 정치를 결심한 나에게는 큰 자양분이 되었다.

학생운동과 노동운동을 하면서 알게 된 사람들 상당수가 정치권에 포진해 있다. 연세대학교 행정학과 동기 중에서 행정고시에 합격하여 현재 중앙부처 국장급 이상에 오른 사람이 상당수이다. 대학 시절 얼굴을 알고 지내던 1년 선후배까지 합하면 그 숫자는 더욱 많아진다. 정치권과 중앙 행정부처에 직접 아는 사람이 많다는 것은 예산 확보 등 지역 발전을 위한 많은 역할을 하는 데 실질적으로 큰 도움이 되리라 자부한다. '예산 많이 따오는' 일이 국회의원 업무의 중심이 돼서는 안 되지만 현실 조건에서 지역 대표에게 요구되는 중요한 역할인 것도 사실이리라.

가치를 지향하는 정치에 대한 비전, 변호사로서 지역 주민들의 아픔을 함께해온 경험, 다양한 공부와 성찰, 정치권과 행정부에 걸친 폭넓은 네트워크 등을 잘 살려서 한국 정치의 변화, 지역 사회의 발전, 주민의 행복을 위해 헌신할 것이다. 이것이 나에게 주어진 운명적 소임이라 믿는다.

광양보건대학교, 꼭 살려야 할 지역 자산

비리 사학 응징

———

이홍하는 광양읍의 두 대학, 한려대학교와 광양보건대학교의 설립자이다. 그는 5개의 학교법인과 9곳의 학교를 설립했는데, 공기(公器)가 되어야 할 학교를 개인사업체처럼 운영하며 전횡을 일삼았다. 전국에 비리 사학으로 지탄받는 사람이 여럿 있지만 이홍하는 그중에서도 정도가 심하다.

대학의 설립자이자 실질적 운영자인 이홍하는 2007년부터 2012년까지 5년간 400억 원이 넘는 광양보건대학교의 교비를 횡령했다. 다른 학교의 횡령액을 합하면 1,000억 원도 넘는다. 교비 횡령은 학생들의 소중한 등록금을 강탈함으로써 그들의 교육 기회를 뺏는 파렴치한 범죄다. 그런데 학교법인 양남학원의 이사장과 이사들은 이를 저지하기 위한 그 어떤 노력도 하지 않았다. 사실상 동조하고 협력한 것이나 마찬가지다.

나는 광양보건대학교 재학생과 졸업생 144명이 학교법인과 이홍하, 이홍하의 처이자 법인 이사인 서복영, 법인 이사장 등을 상대로 손해배상으로 등록금 환불 청구 소송을 제기할 때 법률대리인으로 함께했다.

광양보건대학교 학생들이 정상적인 등록금을 내고도 시설과 설비, 실험·실습 여건 부족 등으로 제대로 된 교육을 받지 못했으며, 이런 열악한 현실로 보건의료 관련 중견 기술인으로서의 실력이 충분히 배양되지 않은 상태에서 학교를 마쳤거나, 아직도 그런 상황에서 교육을 받는 실정이므로 이로 인한 손해를 배상해야 한다는 주장의 소송이다.

이 소송의 1심 판결은 2017년 10월 10일 광주지방법원 순천지원에서 나왔다. 재판부는 학교법인 설립자, 전 이사장, 전 이사가 원고들이 정상적인 학습을 받지 못해 입은 정신적 고통을 위자할 의무가 있다고 판단하고 피고들의 불법 행위의 정도, 이홍하의 횡령액수, 학생들의 재학 기간 등 제반의 사정을 종합하여 손해배상 금액을 원고 1인당 30만 원에서 10만 원까지 정한다고 판시했다.

원고의 일부 승소였다. 하지만 횡령액에 비해 위자료가 너무 적어 받아들이기 어려웠다. 우리는 항소하였고 2018년 11월 2일에 항소심 판결이 나왔다. 광주지방법원 제1민사부는 원심의 취지를 그대로 인정하였고 1인당 최고 30만 원이던 손해배상금을 1인당 최대 60만 원까지 추가로 인용했다. 1심에서는 144명에 대한 손해배상금 합계가 3,990만 원이었는데, 항소심 판결에서는 여기에 더해 2,490만 원의 손해배상금을 추가로 인정했다.

이에 대해 이홍하 측에서 대법원에 상고했지만 상고기각되어 판결이 확정되었다.

1심보다 손해배상금이 늘어난 항소심 판결이 확정된 것은 다행이지만, 학생들의 실질적인 피해를 고려할 때 매우 적은 금액이다. 그러나 이 판결은 사회적 문제가 된 사학 비리를 일부라도 예방하는 효과를 발휘할 것이다. 사학의 이사장 등 임원들이 학생들의 등록금으로 이루어진 교비를 횡령했을 때 횡령한 돈만 반환하면 되는 것이 아니라, 그로 인해 제대로 된 교육을 받지 못한 다수 학생에게 손해배상까지 하게 함으로써 범죄로 인한 책임 범위가 훨씬 커지게 되어 비리를 예방하는 기능을 가질 수 있다.

위기의 광양보건대학교
———

비리 사학 재단을 처벌하고 정당한 보상을 받는 것과는 별개로 그 대학은 제대로 운영되어야 한다. 사학이라 하더라도 대학은 재단의 전유물이 아니라 사회적 소유이다. 학생들과 지역 사회는 대학의 존립과 발전에 큰 이해관계를 갖는다.

재단 관계자들을 대상으로 소송이 시작되고 얼마 지나지 않은 2015년 11월 20일, 광양보건대학교는 대학 비전 선포식을 열고 '학생이 행복한 대학, 지역을 풍요롭게 하는 대학, 지속 가능한 대학'으로 발전하겠다는 의지를 표명했다.

하지만 광양보건대학교가 맞이한 운명은 그리 호락호락하지 않았다. 2015년 대학구조개혁평가에서 최하위 등급인 E등급을 받았다. 광양보건대학교는 정부 재정 지원 사업 참여가 금지되고 신·편입생 학자금 대출 제한, 국가장학금 지원 제한 등 불이익을 받게 됐다. 혹독한 결과였지만 이때만 해도 희망이 있었다. 설립자가 교비 횡령 범죄로 구속되는 혼란기에 평가가 진행된 결과이니 묵은 잘못을 털고 나아가면 가능성이 있다고 보았다.

그러나 2016년 대학구조개혁평가 등급 조정을 위한 교육부 중간 평가에서도 최하위 등급은 그대로였다. 12년간 광양시장을 역임했던 이성웅 씨를 총장으로 영입하고 광양시와 지역 사회단체가 참여하는 범시민대책협의회까지 구성하여 학교 정상화를 위해 노력했지만 성과가 없었다. 결국, 재정 확보와 대학 비전 제시 등에서 별다른 자구책을 마련하지 못했다.

이런 상황에서 받은 '2018 대학 기본역량 진단'에서 자율개선대학 기준인 상위 60%에 오르지 못하고 2단계 진단 대상에 포함됐다. 2단계 진단에서도 최하위 등급인 재정지원제한대학 유형 Ⅱ를 받았다. 정원 감축, 정부 재정 지원 전면 제한, 신·편입생의 국가장학금과 학자금 대출 불가능 등 사면초가의 위기에 처했다.

대학은 많고 학령인구는 가파르게 줄어, 학생 수보다 대학의 정원이 더 많은 현실에서 정부는 가능한 한 대학을 없애려 한다. 설립자의 비리가 있는 대학이 자연스럽게 우선순위에 오른다. 이때 폐교에 대한 지역의 반발이 크다면 정부도 함부로 할 수 없다. 하지만 광양보건대학교 폐교 위기에 대한 대처는 미흡했었다.

광양보건대학교가 폐교 위기까지 몰린 데에는 비리 재단의 전횡, 대학 조직의 경직성, 구성원의 감시 부족 등 내부적 요인이 크다. 하지만 책임을 묻는 데서 나아가 대학을 살리겠다는 지자체와 지역 사회의 의지가 모이지 않은 데서도 원인을 찾을 수 있다.

교육부가 내세우는 절대적인 선결 요건은 재정 확충이었다. 설립자로부터 횡령한 교비를 회수하거나 교비 횡령금을 변제할 재정 기여자를 찾으라는 것이다.

나는 뜻을 같이하는 사람들과 '광양보건대 정상화 시민모임'을 만들고 혼자서 세 차례나 교육부 실무 책임자를 만나 광양보건대학교 살리기 방안을 논의해왔다. 어떤 형태로건 지방자치단체가 나선다면 대학을 살릴 가능성이 커진다는 점을 확인할 수 있었다. 그렇다면 전남도와 광양시가 재정기여자로 나서는 방안을 적극적으로 추진할 필요가 있었다.

이미 여러 차례의 기회를 놓쳤다. 하지만 실낱같은 희망과 가능성이 여전히 남아 있다. 위기에 처한 광양보건대학교를 꼭 살려야 한다. 지자체와 시민사회가 합심하여 광양보건대학교를 없애기 어려운 대학으로 만드는 게 가장 강력한 방안이다.

살릴 수 있고 꼭 살려야 할 대학

———

광양보건대학교 정상화에 열성을 쏟고 있는 나에게 "왜 부실 대학에 시민 세금을 들여야 하냐?"고 반문하는 사람이 있다. 하지만 경쟁력 없는 대학을 살리자는 것이 아니다. 경쟁력이 충분한 대학이니 꼭 살려야 한다는 게 핵심이다.

초고령사회로 갈수록 보건의료 서비스 수요는 늘어난다. 보건의료 특화 대학인 광양보건대학교의 여러 학과는 취업을 보장할 수 있으니 독자 생존이 가능하다.

특히 정부가 추진 중인 '국립 공공의료대학'과 접목되면 국가로부터 혜택을 받은 학생들이 졸업 후 일정 기간 광주·전남권 도서벽지에서 근무할 때 필요한 의료 인력을 손쉽게 수급하는 통로가 될 뿐만 아니라 의료 사각지대 해소에도 크게 이바지할 수 있다.

국가적으로 대학 진학 인구가 줄고 있지만, 간호와 보건 계열만큼은 학문적 경쟁력이 유지되고 있다. 고령화 시대의 필수적인 보건 계열 학과를 모두 갖춘 광양보건대학교는 충분한 경쟁력을 갖추었으며 보건 복지 분야의 인프라가 상대적으로 열악한 전남 지역에 꼭 필요한 대학이다.

살려야 한다는 지역의 인식이 있으면 살릴 수 있고, 살리면 스스로 생존이 가능한 대학이다. 광양에 위치하고 이홍하가 설립한 학교이지만 한려대학교를 살리자는 말은 하지 않고 광양보건대 정상화만 강조하는 이유가 바로 이것이다.

지역 발전 측면에서도 광양보건대학교 정상화는 반드시 이루어져야 한다. 전북 남원의 서남대학교가 폐교한 후 인근 지역 경제가 얼마나 처참하게 무너졌는지를 알고 있다. 상권은 황폐화되었으며 지역민들은 생계에 희망이 없어졌다고 토로한다.

광양보건대학교가 부실화되고 학생 수가 줄면서 광양읍, 특히 덕례리는 이미 큰 타격을 받았다. 임대 수요가 줄었고 상권이 쪼그라들었다. 하지만 폐교는 학생 수가 줄어드는 것과는 차원이 다른 문제다.

신입생을 마음껏 받지 못하는 상황에서도 광양보건대학교의 재학생은 1,000명 내외이다. 정부로부터 인가받았던 정원을 다 채우면 2,000명이다. 지자체가 종업원 수십 혹은 수백 명의 사업장을 유치하기 위해 얼마나 공을 들이는가. 그런데 2,000명 정원의 지역 대학이 사라지도록 내버려 두는 것은 얼마나 어리석은지 돌아볼 필요가 있다.

전체 14개 학과 중 10개 학과가 보건의료 계통인 광양보건대학교는 특성화된 강점에 따른 생존과 발전 능력을 갖추고 있다. 이런 대학을 지역에 다시 세우거나 유치하는 것은 사실상 불가능에 가깝다. 이미 존재하는 기회부터 살려야 한다. 지자체와 지역 사회가 위기 돌파의 강력한 의지를 보이고 기초 재원을 마련하여 정상화의 첫발을 내디디면 이후 독자적으로 생존하면서 지역 경제에 긍정적 파급력을 크게 미칠 것이다.

광양보건대학교는 광양읍 경제를 떠받치는 한 축이다. 지역 경제와 대학이 운명을 함께한다는 인식으로 정상화에 뜻을 모으기를 바란다.

공영형 사립대학으로의 전환

———

2018년 6.13 지방선거에서 더불어민주당 시장 후보의 선대위원장으로서 눈앞에 닥친 광양보건대학교의 폐교 위험을 막기 위해 광양시와 전라남도가 공동 출연하여 재단법인을 설립한 후 그 재단법인이 재정 기여자가 되어 광양보건대학교를 정상화하는 방안을 제시하였으나, 무소속 후보가 시장에 당선되면서 이 방안을 추진할 수 없게 되었다. 그리고 그 전부터 광양보건대를 도립대로 바꾸는 방안을 논의해왔으나 이 역시 쉽지 않았다.

이런 상황에서 광양보건대학교를 공영형 사립대로 전환하는 문제에 대한 논의가 있었다.

공영형 사립대학은 문재인 대통령의 대선 공약 사항인데, 정부가 대학 재정의 50% 이상을 지원하는 대학을 말한다. 이것은 광양보건대학교가 존속하여 정상화하는 방안으로 가장 유력하다. 공영형 사립대학 정책은 헌법상 국민의 교육을 받을 권리를 보장하기 위해 공교육 제도를 제공·정비하고 교육기관을 설립해야 할 국가의 책무를 다하려는 정책이라는 점에서 강하게 추진되고 확대돼야 한다.

사학 비리의 근절과 지역 대학의 장기적 발전 가능성 실현을 통한 지역의 균형 발전 기반을 마련하는 취지에서도 광양보건대학교에 적용되어야 할 정책이다.

광양보건대가 처한 상황에서 공영형 사립대학으로의 전환이 쉽지는 않지만 그래도 현재 선택 가능한 최선의 방안 중 하나라 할 수 있다. 그러기 위해서는 우선 폐교되지 않고 살아남는 것이 중요하다.

그동안 광양보건대 지원을 가로막았던 국가장학금 등 각종 제한이 풀리고 3년 정도 지나면 학생 정원이 찰 것이다. 학생 수가 2,000명이 넘어가면 자체적인 생존이 가능하다.

광양보건대학교가 폐교되지 않는다는 확신을 품고 정상화 방안을 추진해야 한다. 폐교만 되지 않는다면 충분한 경쟁력을 가졌기 때문에 수년 내 자생 가능한 대학으로 다시 설 수 있다.

수험생들에게 광양보건대학교가 당장 폐교되지 않는다는 확신을 주고, 장학금 지원이 가능해지면 입학 정원을 채울 수 있으며 곧 2,000명 수준에 도달하게 된다. 그러면 연간 30~40억 원의 재정이 남는다. 이어서 2~3년만 지나면 건물을 리모델링도 할 수 있다.

광양시가 광양보건대학교를 살리겠다는 신호만 주면 되는데 그것을 안 하고 있다. 학교가 돈으로 살아야 하는 상황이니 지자체가 돈을 대겠다고 나서는 게 가장 빠른 길이다.

재정 기여이건 장학금 지원이건 간에 광양시와 지역이 광양보건대학교의 생존에 커다란 관심을 가지고 있고 이를 위해 필요한 일을 하겠다는 의지가 담긴 실천을 해야 한다. 지금 비리 사학에 세금을 쓸 수는 없다고 하는 것은 광양보건대학교를 살리지 않겠다는 말과 다르지 않다.

지역 변호사로 비리 사학 재단의 무고한 희생자가 된 젊은이들의 소송을 진행하면서 광양보건대학교와 인연을 맺게 된 이후 누구보다도 광양보건대학교 정상화를 위해 노력해왔다고 자부한다. 이것이 지역 사회와 대학의 조화로운 발전을 가능하게 하며 지역 청년들을 유능한 전문가로 양성하는 바탕이 될 뿐만 아니라, 비리 사학으로부터 교육을 되찾아오는 정의로운 일이기 때문이다.

앞으로 더 큰 정치적 영향력을 갖게 된다면 광양보건대학교 정상화에 높은 우선순위를 두고 실질적 해결을 이룰 것이다.

여순 10·19사건 특별법 제정을 위해

양민 학살의 뼈아픈 역사

———

매년 10월 전남 동부 지역은 뼈아픈 과거를 회상한다. 한국 현대사의 비극인 여순 10·19사건과 마주한다. 나는 여순사건이 여수와 순천뿐만 아니라 우리 지역인 광양, 곡성, 구례의 문제임을 직시하고 있다. 그래서 여순사건 특별법 제정을 촉구하는 데 힘을 보태고 여순사건재심대책위원회에도 참여하고 있다.

여순 10·19사건은 제주 4·3사건과 이어져 있다. 해방정국에서 이승만이 남한만의 단독 정부 수립을 위한 총선거 시행을 발표하자 '단독 정부 반대, 통일 정부 수립'을 요구하는 운동이 들불처럼 번졌다. 제주도에서도 1948년 4월 3일 경찰과 서북청년단에 의한 양민 학살 중지, 단독 정부 수립 반대, 민족 통일 등을 내걸고 봉기가 일어났다. 계속된 무력 충돌과 진압 과정에서 많은 주민이 희생되었다. 이것이 제주 4·3사건이다.

제주도민의 봉기가 거세지자 이승만과 미 군정은 전남 여수에 주둔한 14연대에 제주도 진압 출동 명령을 내렸다. 1948년 10월 19일, 14연대 군인들은 "우리는 형제를 죽이는 것을 거부하고 제주도 출병을 거부한다"며 진압 출동 명령을 거부하고 총구를 돌렸다. 이것이 여순 10·19사건의 시작이다.

이들은 국군, 경찰과 교전하며 여수와 순천을 장악하였으나 곧 막강한 화력을 지닌 진압군에 패퇴했다. 패퇴한 군인들은 생존을 위해 산으로 숨어들었다. 그때부터 한국전쟁을 전후한 시기까지 군경에 의한 토벌 작전은 계속되었다. 이 과정에서 무수한 민간인들이 학살당했다.

1979년 전라남도가 집계한 통계를 보면 무고한 주민 1만 1,131명이 목숨을 잃었다. 그런데 실제로는 이보다 훨씬 많은 민간인이 희생된 것으로 추정된다.

여순 10·19사건은 오랫동안 '여순반란사건'으로 불러왔다. 그러나 민주공화국을 표방하는 나라에서 왕조 시대에나 쓰는 '반란'이라는 용어를 버젓이 사용하는 것은 넌센스이다. 또한 경찰과 서북청년단에 의한 양민 학살 중지, 단독 정부 수립 반대, 민족 통일 등을 주장하는 제주도민들에 대한 무력 진압을 거부한 것을 반란이라 할 수는 없다. 따라서 반란 사건이라는 명칭은 부당하다.

최근에는 제주도민들의 정당한 주장을 무력으로 진압하라는 이승만과 미 군정의 명령을 거부하며 일으킨 항거의 성격을 강조하며 '여순항쟁'으로 부르는 사람도 많다.

그 사건의 명칭을 무엇이라고 부르느냐는 사건의 본질을 해석하는 시각을 담는다고 할 수 있다. 그러나 우리가 여순사건을 어떻게 명명하든 상관없이 국가 폭력에 의한 양민 학살이라는 본질이 사라질 수 없다. 1995년부터는 공식적으로 '여순 10·19사건' 또는 '여수·순천 10·19사건'이라고 주로 부르고 있는데 나도 이 명칭을 따르겠다.

여순 10·19사건의 전개

여수에서 거병하여 순천으로 향한 14연대 군인들은 이내 막강한 화력을 지닌 진압군에 밀린다. 여수, 순천에서 광양, 구례, 고흥, 보성 등 흔히 '동부 6군'이라 부르는 지역으로 진출하였던 이들은 진압군에 쫓겨 산으로 숨어 들어갔다.

산은 전투를 위한 곳이 아니다. 생존을 위해 버티는 고립의 공간이다. 먹을 것이 필요한 산사람들은 야음을 틈타 산에서 내려와 먹을 것을 챙겨가야 했다. 민가에 사는 사람들은 때론 그들이 든 총이 무서워서, 때론 그들 중에 아는 사람이 있거나 안됐다는 생각이 들어서 적으나마 곡식을 내어준다.

그러다가 날이 밝으면 경찰과 군인이 들이닥쳐서 어젯밤 '반란군'이 다녀갔음에도 신고하지 않은 사람, 먹을 것을 내어준 사람, 또는 길을 안내해준 사람을 색출했다.

밤과 낮으로 극명하게 갈라진 이 야만적 생존 공간에서 사람들은 겁에 질린 채 모진 상황을 견뎌야 했다. 하지만 어떤 이들은 평소 나쁜 감정을 품었던 사람을 제거하는 데 이 비극을 이용하기도 했다. 경찰과 군인들이 동네 사람들을 모아놓고 '반란군'을 색출한다며 윽박지르는 와중에 겨드랑이 아래 감춘 손가락으로 한 사람을 가리키기만 하면 그 사람의 목숨은 그날로 끝나는 끔찍한 불행이 일어났다.

그리고 이런 일이 거듭될수록 공을 세워 이득을 얻고자 하는 사람들이 더욱 기승을 부렸다. 심지어는 "어느 동네에 반란군이 많다"는 한마디 제보로 마을 사람 전부가 영문도 모른 채 죽임을 당하기도 하였다.

이렇게 해서 죽어간 사람이 1만 명이 넘는다. 국가공권력이 '안보'와 '치안'이라는 이름을 앞세워 행한 폭력 앞에 양민들이 덧없이 죽어간 것이다. 국가는 '반란군'으로부터 국민을 보호하는 대신 주민들을 '잠재적 반란군'으로 낙인찍어 제거하는 데 더 혈안이 되었다. 당시를 경험한 어르신들 대부분이 '반란군'보다 군인들이 훨씬 많은 주민을 죽였다고 증언하고 있다.

따라서 1948년 10월 19일 이래 일어난 일련의 사건을 이념 대립의 문제로 치부할 수 없다. 그리고 이런 일을 겪어낸 이 지역 사람들은 '빨갱이'로 낙인찍히는 것에 대한 근원적 두려움을 안고 살아왔다. 그렇게 70년 넘는 세월이 흐른 것이다.

'스무 살 도망자'가 불러낸 1948년 여순
——

어느 날《전라도닷컴》사무실에 들렀다가 한편에 쌓인 책더미에서『스무 살 도망자』를 발견했다. 안 팔리고 남은 책이라고 했다. 몇 권이라도 팔아줄 욕심으로 집어 들었는데, 책장을 넘기자마자 이내 생각이 많아졌다.

작가 김담연(가명)은 1961년 순천 태생이다. 1980년 5월 대학 신입생으로 전남도청과 금남로 일대의 시위에 참여했다가 계엄군의 집단 발포 현장에서 죽을 고비를 넘겼다. 저격당한 시위대의 참혹한 주검을 목도한 뒤 자진해서 총을 든 시민군이 되었고, 고립된 도시에서 모든 경계가 허물어진 특별한 공동체를 체험한다. 땀에 전 옷을 갈아입기 위해 하숙집에 잠시 들렀다가 목숨을 걸고 순천에서 광주까지 온 부모님의 손에 이끌려 '광주 대탈출' 대열에 합류한다.

목숨 걸고 들었던 총을 내려놓고 동지들을 버린 채 광주에서 도망친 작가는 죄책감을 이기지 못하고 끝내 자살을 시도한다. 다행히 목숨을 건졌으나 그 자살 기도는 아무에게도 알릴 수 없는 집안의 비밀로 봉인되고, 작가는 '정신적 총살'을 당한 채 37년간 중증 트라우마를 안고 살아야 했다. 그러다가 영화 〈택시운전사〉에서 그해 5월 순천으로 탈출하며 달렸던 비포장도로를 발견해내고 자신의 기억을 세상에 알리기로 한다.

책에는 그해 5월 광주에서 '전쟁'이 났다는 소문을 듣고 아들을 찾아 광주로 향하는 작가의 아버지 모습도 그려진다. 아버지는 광주로 향하던 택시 안에서 여순사건을 떠올린다. '여순 반란 사건'(그의 아버지 때 용어는 그랬다) 때 작가의 아버지는 열여덟 젊은이였다. 순천과 여수에서 젊은이들을 닥치는 대로 체포하거나 학살하는 토벌군을 피해 곡성 태안사 뒷산에 숨어 지내야만 했다.

"내 사건의 가장 큰 피해자는 그해 5월 나의 부모님이다. 이제는 내 이야기를 들어줄 수 없지만 부모님께 뒤늦게나마 진상을 고해야 했다." 작가의 말에서 엿볼 수 있듯이 여순사건으로 강한 트라우마를 안고 세상을 살았을 아버지의 눈에 그해 5월의 광주는 1948년 순천 시내였고, 광주의 외곽을 둘러싼 계엄군은 그때의 토벌군이었다. 그리고 이 전쟁터에서 아들을 반드시 살려내야 한다는 아버지의 열망은 아들의 DNA에 또 다른 트라우마로 변이되어 지금에 이르게 된다.

이렇듯 그해 5월은 1948년의 여순, 그리고 오늘에 닿아 있다. 역사는 도도한 시대의 흐름으로서만 존재하는 것이 아니다. 아픈 역사는 개개인의 삶 속에 낙인을 남기고 삶을 파괴한다. '스무 살 도망자'가 그렇듯 1948년을 겪은 여수, 순천, 광양, 구례, 고흥, 보성 사람들의 삶도 그러했다.

그나마 5월 광주에 대해서는 진상규명과 명예회복이 어느 정도 이루어졌으나 1948년 여순은 전혀 그렇지 않았다. 70년이 더 지난 지금도 그 사건은 꺼내기 힘든 이야기이다. 2019년 대법원은 여순사건 당시 재판을 받고 사형을 당했던 피고인 세 명에 대해 재심 개시를 확정했다. 그러나 재판을 통해 밝혀질 진실의 크기는 그리 크지 않아 보인다. 재판이 본질적으로 요구하는 형식성과 증명의 정도 때문이기도 하거니와, '반란군에 동조했다'는 아무 근거도 없는 이유로 잡혀서 재판 없이 즉결 처분된 사람의 숫자가 훨씬 많기 때문이다. 그런 죽음은 기록으로도 남아 있지 않다.

그 피맺힌 역사의 진실은 새로운 특별법을 통해 밝힐 수밖에 없다. 그리고 진실은 기록보다는 사람들의 기억 속에서 더 생생할 것이니, 그날의 진실을 알고 있는 사람들이 더 사라지기 전에 서둘러야 한다. 여순사건 당시 20세였던 청년은 2019년 91세이다. 영화

〈택시운전사〉가 송강호의 택시 뒷좌석에 타고 있던 그해 5월의 젊은이를 불러냈듯, 이제 우리가 1948년 쑥대밭이 된 순천 시내에 선 아버지를 불러내야 한다.

여순사건 재심 진행

———

앞에서 이야기했듯이, 대법원은 여순사건 재심 개시 결정을 하여 현재 재심이 진행 중이다. 1948년 11월 14일 반란군을 도왔다는 혐의로 체포돼 군사법원에서 사형을 언도받고 그즈음 사형이 집행되었던 사람의 유족 세 사람이 2013년 재심 신청을 하였다. 이에 대해 광주지방법원 순천지원이 2016년 10월 재심 개시 결정을 했다. 그러나 검사가 항고와 재항고를 거듭하면서 재심 개시가 늦어졌다. 그러다 대법원이 2019년 3월 재심 개시를 확정하는 결정을 하였다. 재심 개시 신청부터 6년이 훨씬 더 지나서 이루어진 것이다.

대법원 결정문을 보면 재심 개시를 허용할지를 놓고 대법관들 사이에도 치열한 논쟁이 있었음을 알 수 있다. 가장 큰 문제점은 재심 신청을 하였던 피고인들에 대한 판결문이 남아 있지 않다는 것이었다. 사형이 집행되었다는 기록은 희미하게나마 남아 있으나 판결문이 남아 있지 않다 보니, 이들이 실제 재판을 받고 죽은 것인지 아니면 대다수 피해자처럼 즉석에서 처형되거나 연행된 후 조사를 받고 즉결 대상자로 결정되어 사살된 것인지 확정할 수 없었다. 재심이란 확정된 재판을 사후에 다시 하는 것이므로 재판도 받지 않고 즉결 처분으로 사망하였다면 재심 재판을 열 수가 없다.

대법원이 논란 끝에 재심 개시를 확정한 후 광주지방법원 순천지원에서 재심 공판준비기일이 열렸다. 법원은 "유족들의 아픔에 충분히 공감한다"며 "신중하게 심리하여 올바른 판결을 하겠다"고 밝혔지만, 판결문도, 공소장도 남아 있지 않은 사건의 유무죄를 다시 판단한다는 것은 난망한 일이다.

2019년 10월 28일 4차 공판준비기일에 이르러서야 검찰은 판결 집행명령서와 역사적 사실 등에 의거했다며 공소 사실을 특정했다. 유족과 대책위원회가 국가기록원 등에서 입수한 판결집행명령서 등을 바탕으로 공소 사실을 특정한 것으로 보인다. 우여곡절 끝에 공소 사실이 특정됨으로써 2019년 11월 25일 오후 2시 순천법원 316호 법정에서 여순사건 희생자들의 유무죄에 관한 본격 공방이 시작되었다.

피고인들에게 무죄 판결이 선고되길 바라지만, 유죄 판결이 선고될 당시의 공소장이 아니라 나중에 새로 만들어진 공소장으로 재판을 하다 보니 검사의 공소 제기가 법률 규정에 위반된다는 이유로 공소 기각 결정이 내려질 가능성도 있다. 공소 기각 결정이 내려지는 경우 유죄 판결이 없어지게 되는 효과는 있지만, 피고인들이 내란이나 국권 문란의 범죄를 저지르지 않았다는 법원의 확정적 판단을 바라온 유족들의 피맺힌 요구에는 못 미치는 재판이 된다.

그런데 아무 근거도 없이 '반란군에 동조했다'며 잡혀서 재판 없이 즉결 처분된 사람의 숫자가 재판을 거쳐 처벌을 받은 사람보다 훨씬 많다. 이들의 죽음은 재심을 통해 억울함을 풀 수 없다. 기록이 제대로 남아 있지도 않아 죽음의 진실조차 알 수도 없다. 제대로 된 진실을 밝히려면 특별법을 통할 수밖에 없다.

반드시 특별법이 제정되어야 한다

이제 진실을 밝힐 때가 되었다. 이런 살육의 역사에 관한 자료는 많이 남아 있지 않은 게 일반적이다. 사실을 목격한 사람들의 목소리를 통해 진실을 밝힐 수밖에 없다. 사건을 직접 목격하거나 목격한 사람들로부터 이야기를 들은 사람들의 구술을 채록하는 방식으로 역사를 써나가야 한다. 기억을 가진 사람들이 세상을 떠나기 전에 서둘러야 한다.

이를 위해서는 반드시 특별법이 제정되어야 한다. '제주 4·3사건 진상 규명 및 희생자 명예회복에 관한 특별법'을 통해 제주 4·3사건의 진상이 규명되고 명예회복을 통해 가해자와 피해자 간 화해를 이루어가고 있다. 여순 10·19사건도 특별법 제정을 통해 더 늦기 전에 진실을 규명해야 한다.

여순사건에 대해 특별법 제정보다 과거사위원회 활동으로 진상을 밝히자는 논의가 있다. 노무현 정부 시절인 2005년 '진실·화해를 위한 과거사 정리 기본법'이 제정되었고, 과거사정리위원회가 출범했다. 과거사정리위원회는 이명박 정권 때 조사 기간 연장을 허용하지 않아 활동이 중단된 2010년까지 여러 사건을 조사했다. 여순사건의 진실 중 일부도 이 위원회의 조사로 밝혀졌다. 이런 이유로 과거사정리위원회의 활동을 재개하여 여순사건의 진실규명을 마무리하자는 맥락이다.

그런데 잘 알려진 대로 제주 4·3사건의 경우 '제주 4.3사건 진상규명 및 희생자 명예회복에 관한 특별법' 제정을 통해 진실규명과 피해자 명예회복에 어느 정도 접근할 수 있었다. 여순 10·19사건은 제주 4·3사건과 밀접하게 관련된 만큼 별도의 특별법 제정을 통해 진실규명을 하는 게 바람직하다.

2019년 11월 현재 국회에는 5개의 여순사건 관련 특별법안이 발의되어 있다. 하지만 어느 것 하나 상임위 심의도 제대로 거치지 못한 채 잠자고 있다. 자유한국당의 국회 보이콧이 가장 큰 이유다. 그렇지만 법률안을 발의한 의원들이 이것을 핑계 삼아 발의만 해놓고 팔짱 끼고 있어서는 안 된다. 역사적 의미를 지닌 특별법이 반드시 통과되도록 최선의 노력을 다해야 한다. 법률안을 각각 발의한 의원들과 협의하여 단일안을 만들고, 법안 통과에 동의하도록 정부 부처를 설득하는 등의 노력을 기울여야 한다. 법은 국회에서 발의되고 통과되어야 결정이 되는 만큼 국회의원들의 역할 없이는 이루어질 수가 없다. 특히 그 지역 국회의원들의 책무인 만큼 발로 뛰어서 결판을 내어야 한다.

앞서서 더불어민주당의 이해찬 대표가 20대 국회에서 특별법이 통과되도록 하겠다고 약속하였고 전 정책위 의장인 김태년 의원도 제주 4·3사건과의 연계성을 고려하여 별도의 특별법 제정이 바람직하다고 언급했지만, 아직도 법 제정을 위한 진전된 소식이 들리지 않는다.

여수, 순천과 마찬가지로 광양은 백운산에 숨어든 산사람들의 숫자가 많았고 그 영향으로 학살당한 양민의 숫자도 많았던 곳이다. 광양에서도 여순 10·19사건의 진상을 규명할 필요가 크다. 이것은 곡성과 구례도 다르지 않다. '여순사건'은 바로 우리 지역, 광양과 곡성과 구례의 문제이기도 하다.

이 지역들을 대표하는 국회의원이 된다면 모든 열정과 역량을 바쳐서 여순 10·19사건 특별법을 제정하는 데 헌신하겠다는 각오를 다진다.

공공건설임대주택 분양 전환과 공공성

지역 현안으로 등장한 분양 전환 갈등

———

공공건설임대주택은 민간이나 공공기관이 국가 재정이나 국민주택기금의 지원을 받아 건설하여 5년 이상 임대하는 주택을 말하는데, 정부 지원이 투입되는 만큼 공공복지 개념이 강하다. 임대료가 시세보다 더 싸게 책정된다.

또한 공공건설임대주택은 서민이 자기 집을 마련하는 유용한 통로가 된다. 임대 의무 기간이 끝나면 분양 전환을 하는데 일정한 요건을 갖춘 임차인이 우선 분양을 받을 수 있으며 분양가 역시 시세보다 더 싸게 책정되기 때문이다.

요컨대 공공건설임대주택은 임대와 임대 후 분양에서 서민 주거 안정에 도움을 주는 공공적 성격이 강하다. 하지만 이러한 기본 취지를 외면하고 무분별하게 이익을 좇는 사업자들 때문에 공공건설 임대주택의 공공성이 훼손되고 있다.

다른 지역에 비해 공공건설임대주택이 많은 광양시에서는 최근 분양 전환 과정에서 끊임없는 갈등이 일어나고 있다. 나는 이 갈등을 우리 지역 주민 재산권과 관련한 중요한 문제로 보고 2018년부터 공공건설임대주택 분양 전환 현장에 함께하면서 주민과 함께 문제 해결에 나서고 있다.

광양에 있는 임대아파트 중 이미 분양 전환이 이뤄진 곳은 중마동 송보5차, 송보6차, 태완노블리안, 광양읍 덕진광양의봄아파트 등이다. 그런데 2018년에 분양 전환이 이뤄진 중마동 송보5차와 태안노블리안의 경우 우선 분양에서 제외된 세대의 일부가 이미 재판을 시작했고, 2018년 말에 분양 전환된 광양읍 덕진광양의봄아파트도 2019년 8월 소송이 제기되었다.

나는 이 일을 단순한 변호사 업무 차원이 아니라 중대한 지역 현안으로 받아들이고 팔을 걷어붙였다. 그 시작은 광양읍 송보7차아파트 주민들의 자문을 하면서부터이다. 이 과정에서 분양대책위원들에게 실질적인 사항을 배우며 많은 공부를 하게 되었고 공공건설임대주택 분양 전환 갈등의 심각성을 깊이 인식하게 되었다. 그러다가 덕진광양의봄아파트 분양 전환 문제가 터졌고 비대위 구성부터 함께해 지금에 이르고 있다.

임대아파트 주민들에게는 재산권과 관련해 중요한 문제가 코앞에 닥친 형국이다. 이럴 때 누군가와 논의하고 전문가로부터 도움을 받을 수 있으면 좋다. 내가 시민들과 함께하며 그 역할을 감당할 수 있어 매우 보람 있게 받아들인다.

임차인 이익을 우선 고려해야 한다
——

공공건설임대주택 분양 전환 과정에서는 사업자와 임차인의 이해관계가 극명하게 갈린다. 분양 가격은 법령이 정하는 방식에 따라 결정되는데 건설 당시의 공사 원가와 현 시세의 중간 정도에서 분양 전환 가격을 정한다. 요건을 갖춘 임차인은 시세보다 상당히 싸게 아파트를 살 기회가 된다. 반면에 사업자는 분양 전환을 하지 않고 시세에 따라 판매를 하는 게 유리하다. 그래서 분양 전환의 자격을 까다롭게 따지는 것이다.

하지만 공공건설임대주택의 분양 전환 갈등을 사업자와 임차인의 이익 다툼으로 보는 것은 옳지 않다. 서민 주거 복지 차원에서 더 싸게 임대하고 더 싼 가격으로 분양 전환하라고 국민주택기금을 투입하여 지은 아파트라는 점이 중요하다. 국민주택기금은 세금으로 조성된다. 따라서 공공건설임대주택은 임대사업자들이 아니라 임차인의 이익을 우선으로 우선 분양이 이루어지는 게 합리적이고 공평하다.

분명하고 타당한 원칙이 있음에도 사업자들은 눈앞의 이익에 혈안이 된다. 자격을 문제 삼아 우선 분양 대상자 수를 줄이려고 시도하는 게 일반적이다. 임대사업자들은 임대주택법이 정하는 우선 분양 요건을 지나치게 좁게 해석한다. 임차인에게 우선 분양 전환권이 없을 때 임대사업자는 그 아파트를 나중에 훨씬 비싼 가격에 팔아 차액을 챙길 수 있기 때문이다. 이 과정에서 임차인 중에 우선 분양에서 제외되는 억울한 사람들이 다수 나온다.

임대사업자의 일방적인 우선 분양권자 결정
—

공공건설임대주택을 분양 전환할 때 시장·군수·구청장의 승인을 얻어 분양가를 결정한다. 임대사업자가 마음대로 분양가를 정하지 못하게 되어 있다. 반면에 임차인 중에서 우선 분양 자격이 있는지 없는지를 판단하는 것은 일차적으로 임대사업자의 판단에 맡겨둔다.

이런 상황에서 임대사업자들이 법률을 자신들 편의대로 해석해 자격이 되는 사람도 배제해버리는 경우가 비일비재하다. 임차인에게 우선 분양 자격이 없다고 한 후에 이를 비싸게 팔기 위해서다.

임대사업자가 임의로 우선 분양 자격이 없다고 제외해버린 임차인들은 소송을 통해서 자격을 인정받을 수밖에 없는 상황이다.

우선 분양 요건 중에서 계속 거주 여부, 무주택자 여부, 가족 중 일부가 주택을 소유한 경우의 처리, 선착순 분양자 여부 등이 법률적 쟁점이 된다. 그중 가장 문제가 빈번한 사항은 법률이 정하는 기간에 임대주택에 계속 거주했는가이다. 예를 들어 임차인이 임대주택에 입주하여 실제 거주하면서도 개인적 사정에 따라 전입신고를 늦게 하거나, 주소를 잠시 다른 곳으로 이전했다가 돌아온 경우 등에 우선 분양 자격을 두고 분쟁이 빚어진다.

그런데 임대주택법은 전입신고가 아니라 일정 기간 '거주'하는 것을 우선 분양의 요건으로 삼는다. 따라서 전입신고가 늦었더라도 실제 거주했다면 우선 분양권에 문제가 없다고 보아야 한다. 전입신고는 실제 거주했음을 증명하는 강력한 증거이지만, 전입신고가 안 되었더라도 실제 거주했다는 다른 증거가 있으면 계속 거주를 인정해야 한다. 그러나 임대사업자들은 자세하게 따져보지도 않고 계약 후 일정 기간이 지난 후 전입신고를 한 세대를 일률적으로 우선 분양 대상에서 제외하려 한다.

그리고 임차인이 일시 전출한 사실이 있더라도 다른 가족들이 계속 그 주택에 주민등록을 둔 채 점유했다면 임차인이 계속 점유한 것으로 보는 것이 대법원의 확립된 판례이다. 임대주택의 임차인 혼자서 잠깐 다른 곳으로 전입한 적이 있어도 다른 가족들이 주민등록을 그대로 둔 채 계속 거주했다면 분양 전환에 있어 계속 거주 요건을 갖추었다고 보아야 한다는 뜻이다. 그런데 임대사업자들은 대법원 판례를 무시하면서 이런 경우도 우선 분양 대상에서 제외하려 하고 있다.

그 밖에도 임대사업자들은 임대주택법이 정하는 선착순 분양의 의미를 지나치게 좁게 해석하거나 혼인해 따로 사는 성인 자녀의 주택 소유까지 문제 삼으며 우선 분양 대상자 범위를 좁히고 있다.

심지어 우선 분양 요건을 협소하게 해석한 후 마치 안 되는 것을 선의로 해주는 것처럼 하며 선심 쓰듯 우선 분양 대상에 끼워주고 따로 추가 금액을 받는 일도 있다. 대법원이 이미 승인받은 분양 전환 가격보다 더 많이 받은 돈은 당사자 간 합의가 있었더라도 그 범위에서 무효라고 명백히 판시하였음에도 그렇게 하고 있다.

지금까지 이야기한 사항들은 임대주택법의 규정 내용과 취지, 법원 판례 등에 비추어봤을 때 소송에서 임차인들에게 유리한 판결이 선고될 가능성이 커 보인다.

2018년부터 2019년 사이에 광양시에 있는 임대아파트 중 분양 전환이 이루어진 곳은 중마동 송보6차, 송보5차, 태완노블리안, 광양읍 덕진광양의봄, 송보7차, 오네뜨아파트 등이다.

그중에서 중마동 송보6차는 큰 갈등 없이 분양 전환이 마무리됐다. 하지만 송보5차는 분양 전환 후 일부 세대가 우선 분양에서 탈락된 것에 불복해 서울중앙지방법원에 소송을 제기하여 일부 승소 판결이 선고되었고, 일부는 내가 소송대리를 하여 광주지방법원 순천지원에 소를 제기한 상태다.

태완노블리안에서도 우선 분양에서 탈락한 세대들이 소송을 제기한 상태이고, 또 다른 일부는 분양 승인가 외에 추가로 지급한 돈의 반환을 요구하는 소송을 제기했다.

덕진광양의봄아파트 처분금지 가처분과 소송의 제기
___

광양읍 덕진광양의봄아파트에서는 우선 분양에서 제외된 세대들이 비상대책위원회를 구성해 기존의 분양대책위원들을 탄핵하는 등 주민들 사이에 심각한 갈등이 있었다. 더구나 덕진종합건설이 임의로 우선 분양에서 제외한 세대들을 다른 임대사업자에게 팔아버림으로써 임차인들의 불안감이 가중됐다. 비대위를 중심으로 소송을 통한 권리 구제가 시작되어 대부분의 세대에 대해 처분금지 가처분이 이뤄졌고, 본안 소송이 시작된 상태다.

앞에서 말했듯 임대사업자가 임의로 특정 임차인의 우선 분양권이 없다고 판단하면 임차인은 소송을 통해 자격을 증명할 수밖에 없다. 그런데 소송은 끝날 때까지 상당한 시간이 걸린다. 임차인이 우선 분양 자격을 다투며 소송을 제기했는데, 임대사업자가 그동안에 다른 사람에게 팔아버리면 나중에 승소하더라도 그 집의 소유권을 찾아오기 어려울 수 있다. 이를 대비해 법원의 결정으로 현 소유자가 이를 다른 사람에게 팔지 못하도록 묶어두는 것이 부동산처분금지 가처분이다.

처분금지 가처분을 받아 양도, 저당권·전세권·임차권의 설정, 기타 일체의 처분 행위를 하지 못한다는 법원의 결정을 받아 그 내용을 등기하면 된다. 등기부등본을 떼어보면 누구나 그 내용을 알 수 있기에 그 부동산을 매수할 사람이 없다. 설령 누군가가 매수하더라도 가처분권자가 가처분 당시의 소유자를 상대로 소송을 제기해 승소 판결을 받으면 가처분 이후에 소유권을 취득한 사람은 권리를 잃게 된다.

덕진광양의봄아파트의 가처분 소송 과정에서 많은 우여곡절이 있었다. 소송을 진행하겠다고 신청한 세대가 총 126세대였다. 서류를 모두 검토한 끝에 가처분 결정이 분명히 내려질 것으로 보이는 102세대에 대해 우선 가처분 신청을 했고, 법원에서 가처분 결정을 해주었다.

그런데 이 중 일부는 쉽게 가처분 등기까지 되었는데, 일부는 법원의 결정이 있음에도 등기가 가능한지 법률적 논쟁이 생겨 등기가 늦어졌다. 그리고 이렇게 등기가 늦어진 틈을 타 임대사업자가 일부를 다른 사람에게 팔아버렸다. 이 때문에 같은 세대에 대해 여러 번 가처분 신청을 한 적도 있다. 현재는 검토 중인 세대를 포함하여 몇 세대를 제외하면 모두 가처분 등기까지 마쳐져서 권리 보호에 문제가 없는 상태다.

송보7차아파트 임대사업자 횡포에 맞서서
———

광양읍 송보7차아파트는 분양 전환 절차가 진행되지 않아 입주민들이 애를 태우고 있다. 송보7차아파트는 2011년 중반에 입주한 아파트다. 임대 의무 기간 5년이 지난 2016년 중반에 분양 전환이 가능했으나 여러 가지 이유로 분양 전환이 이루어지지 않았다. 이렇게 분양 전환을 하지 않은 동안 건설사인 송보건설이 아파트를 통째로 또 다른 임대사업자인 정기산업에 양도했다. 이후 정기산업은 차일피일 분양 전환을 미루더니 주민들의 요구가 거세지자 2018년 광양시에 분양 전환 신청을 했다. 하지만 광양시의 서류 보완 요구에 응하지 않다가 스스로 신청을 철회했다. 분양 전환 절차가 중단된 것이다.

상황이 이렇게 흘러가자 임차인들이 임대주택법 관련 규정에 따라 분양 전환 신청을 했다. 임대사업자가 분양 전환을 하지 않을 때 임차인 3분의 2 이상의 동의를 받아 임차인들이 분양 전환 신청을 할 수 있기 때문이다. 그리고 광양시는 2019년 4월 19일 분양 승인을 했다. 광양시의 분양 승인이 이뤄졌으므로, 마땅히 분양 전환 절차가 진행되어야 하는데, 임대사업자는 분양 전환 절차를 진행하지 않은 채 임대차 계약 갱신만을 요구하고 있다.

임대주택법 제21조 제8항은 "임차인이 분양 전환승인을 받은 이후에도 임대사업자가 4개월 이상 분양 전환에 응하지 아니하는 경우에는 임차인은 승인을 받은 분양 전환 가격에 따라 매도할 것을 청구할 수 있다"라고 정하고 있다.

분양 전환 승인 후 4개월이 지나면 우선 분양 자격이 있는 임차인들은 광양시장이 승인한 분양 전환 가격에 나에게 팔라고 요구할 수 있게 되는 것이다. 요구하고 응하지 않으면 소송을 통해 해결할 수 있다. 덕진광양의봄아파트의 경우처럼 송보7차아파트도 처분금지 가처분을 하고 소송을 제기하였다.

앞서 가처분을 하고 소송을 제기하였던 덕진광양의봄아파트는 임대사업자가 우선 분양 전환을 하는 과정에서 거부한 세대에 대해서만 법적 절차를 시작한 반면, 송보7차아파트의 경우 임대사업자인 정기산업이 분양 전환에 일절 응하지 않다 보니, 가처분을 하고 소송을 제기한 세대수가 굉장히 많이 늘어날 수밖에 없다. 너무 세대가 많아 혼자서 소송을 감당할 수 없어 순천에 사무실을 둔 고재욱 변호사와 함께 소송 절차를 진행하고 있다.

정치권의 실질적인 역할 절실

——

2019년 5월 정인화 국회의원이 임대아파트 문제를 입법적으로 해결하기 위해 공공주택 특별법 개정안을 대표발의했다고 밝혔다. 우선 분양 전환 대상이 되는 임차인의 자격 요건을 구체적으로 규정하고 공공주택사업자가 임대 의무 기간이 지나 분양 전환하기 전에 공공임대주택을 매각하는 경우 공공임대주택의 소재지를 관할하는 시장·군수·구청장의 승인을 받도록 하며 분양 전환 공공임대주택의 소유권보존등기에 임대 의무 기간, 매각 제한 등에 관한 사항을 부기등기하도록 하는 등의 규정이 포함되었다.

아쉬움이 없지 않지만, 그런 정도라도 법제화되면 임차인의 권리 보호에 큰 도움이 될 것이다. 하지만 이 법률안이 20대 국회에서 통과될 가능성은 거의 없어 보인다. 언제 통과될지도 모르는 개정 법률안만 바라보고 있을 수는 없는 일이다.

지역의 정치권이 이 문제를 효과적으로 풀어내며 실질적 도움을 줄 수 있도록 더 강한 정치력을 발휘해야 한다. 서민의 주거 안정과 재산권이 걸린 매우 중요한 문제이다. 실제 사안은 매우 복잡하게 얽혀 있다. 사업주의 전횡을 통제하고 지방자치단체의 행정력이 주민 편에서 가동할 수 있도록 조율해야 한다.

나에게 이 문제를 근본적으로 해결해나가기에 충분한 정치적 힘이 생기기를 바란다. 광양에서 심각하게 벌어진 공공건설임대주택 우선 분양권의 난맥상을 먼저 풀고 이를 바탕으로 다른 지역의 비슷한 문제에 정의롭게 대응할 시스템을 구축하겠다는 열망을 품는다.

임대사업자의 전횡에 대응하는 과정에서 법을 어떻게 개정해야 하는지 머릿속에 정리되는 성과가 있었다. 임차인을 더 확실히 보호할 수 있는 입법의 방향과 내용이 정립된 것인데, 단지 변호사의 역할만 하였다면 얻을 수 없는 성과였다.

인정이 넘치는
밥상

주민들의 지원 속에 설립될 햇살학교

———

특수학교인 가칭 광양햇살학교가 2020년 9월에 공사를 시작하여 2022년 개교를 계획하고 있다. 현재 광양 지역 장애 학생들 가운데 일부는 순천의 선혜학교로 왕복 2시간 거리의 통학을 하고 있고 일부는 광양 내 특수학급, 일반학급에 재학 중이어서 적절한 교육을 받는 데 어려움이 많은 상황이다. 광양햇살학교가 개교하면 우리 지역 내 장애 학생들이 가까운 곳에서 더욱 전문적인 교육을 받게 된다.

특수학교를 설립하는 데 가장 큰 장애물은 주민의 반대이다. 2017년 서울 강서구 특수학교 설립 주민 토론회에서 장애 아동 학

부모들은 설립을 호소하며 무릎을 꿇었다. 장애인에 대한 편견이 강하고 특수학교가 생기면 지역 땅값이 떨어진다는 이유로 주민들이 반대했기 때문이다. 그 뉴스를 보고 많은 사람이 분노하고 가슴 아파했다. 나 또한 그랬다.

그러나 햇살학교가 세워질 옥룡면 옥동마을 주민들은 적극적인 지지를 보여주었다. 주민들은 "요즘 뉴스를 보며 표면적으로 재산권 침해를 이유로 들지만 장애 학생들에 대한 편견 때문에 특수학교 설립을 반대하는 지역이 많다고 들었다. 그러나 우리 지역 장애 아들을 우리가 보듬어야 하지 않겠느냐"며 따뜻한 마음을 보여주어서 가슴이 뭉클했다. 우리 지역의 한 시민으로서 뿌듯하고 기쁘기도 했다.

햇살학교는 "지역 주민에게 열린 교육 공간으로 마을 사랑방, 주민 카페, 역사관, 다양한 행사가 가능한 시청각실, 강당, 전기차 충전기 등이 설치된다"고 하니 함께해서 더 좋은 상생 모델이 아닐 수 없다. 돈이 최고이고 내 자식만 귀하게 여기는 세상에서 더불어 살아가는 가치를 다시금 생각해본다.

내다보는 5년과 되돌아보는 5년
―――

우리 사회의 청소년들은 입시와 경쟁의 압박에 눌려 있다. 이런 청소년들에게 용기를 주고 격려도 하고 싶어 《광양청소년신문》에 「내다보는 5년과 되돌아보는 5년」이라는 제목으로 기고했던 글을 이 지면에 옮긴다.

안녕하세요, 저는 광양에서 변호사로 일하는 서동용이라고 합니다. 제 이야기 좀 들어보실래요? 지금은 4년제 대학을 졸업한 학생이 법학전문대학원, 소위 로스쿨을 마치고 변호사시험에 합격하면 변호사가 될 수 있지만, 전에는 사법시험에 합격하고 사법연수원 교육을 마쳐야 변호사가 될 수 있었습니다. 저는 바로 이 사법시험에 합격해 변호사가 된 경우입니다.

제가 다닐 때 대학의 풍경은 지금과 많이 달랐습니다. 지금은 캠퍼스의 낭만을 느끼며 자유롭게 공부하는 대학, 혹은 취업 준비를 위해 애쓰는 장소라면 과거에는 공부와 취업보다는 독재 타도, 민주주의 쟁취를 외치는 곳이었습니다.

독재 정권이라는 말이 멀게 느껴진다면 최근 자주 보도되는 홍콩시위 영상이나 영화 〈택시운전사〉, 〈변호인〉, 〈1987〉 등을 보면 좀 더 피부에 와닿을 겁니다.

그 시기는 평범한 시민들을 폭도로 몰아 때리고 살해하고, 무고한 사람들을 아무렇지 않게 잡아다 고문하며, 자유로운 모든 말과 행동을 금지하던 시절이었습니다. 일례로, 여러분은 "실화냐?"라고 할 테지만, 가수 김추자의 노래 「거짓말이야」는 불신을 조장한다는 이유로 금지곡으로 지정되었고 또 그녀의 안무 손동작은 '간첩들에게 지령을 전하는 수신호'로 의심받기까지 했습니다.

그런 억압의 시절에 저는 연세대학교 행정학과에 들어갔고 민주화 운동에 뛰어들게 되었습니다. 고민과 갈등이 없지는 않았지만, 아무렇지 않게 시민들을 잡아 가두고 때리는 전두환 군사독재에 분노를 느끼고, 약자를 위해 힘쓰는 선배들의 헌신적인 모습에 마음이 움직여 그런 결정을 내렸습니다.

두 차례 구속되어 구금 생활도 하였습니다. 이후에는 인천에서 가스계량기를 제작하는 공장, 양은냄비를 만드는 공장 등에 취업해 노동자들이 노동조합을 세우고 근로기준법을 보장받게 하는 데 힘썼습니다. 요즘 식으로 말하자면 걸스데이의 혜리가 아르바이트 광고에서 당당히 말한 최저시급, 주휴수당 같은 법적 권리를 주장하는 활동이었습니다. 노동운동은 쉽지 않았습니다. 몸도 마음도 지친 저는 고민 끝에 고향 광양으로 돌아와 사업을 시작했습니다.

요즘은 '커피' 하면 아메리카노지만 당시는 다방에서 타주는 인스턴트커피와 달걀노른자 동동 띄운 쌍화차가 유행이어서, 그런 차 재료를 공급하는 장사를 했습니다.

2년 뒤에는 더 큰 꿈을 안고 새로운 사업을 시작했습니다. 인터넷도 없고, 사진 한 장도 저장하지 못할 용량인 1.4메가바이트 플로피디

스크를 사용하던 시절이었는데, PC 판매, 소프트웨어 개발 사업에 뛰어든 것이었지요. 그러나 기대와 달리 엄청난 부채를 안고 쫄딱 망하고 말았습니다.

실의에 빠진 저는 새로운 길을 찾아야 했습니다. 가까운 친구들이 사법시험에 도전할 것을 권유했는데, 어렵고 힘든 공부를 다시 시작하기 겁이 났습니다. 고민을 거듭하다가, 어느 날 지난 5년을 더듬어보게 되었습니다.

그때 무엇을 했는지 특별히 기억나는 게 없었습니다. 큰 의미 없이 너무 빨리 지나간 세월이었습니다. 저는 '미래의 5년은 길게 느껴지지만, 과거의 5년은 짧았다. 5년 후에도 되돌아보면 지금과 마찬가지일 거야'라고 생각했습니다. 결국 저는 시험 준비를 시작하기에 매우 늦은 나이인 36세에 사법고시라는 새로운 영역에 도전하기로 마음을 먹었고 각고의 노력 끝에 비교적 짧은 시간에 합격했습니다. 그리고 현재 제가 사랑하는 고향에서 법적 도움이 필요한 분들을 기쁜 마음으로 돕고 있습니다.

공부하느라 힘들죠? 가족, 친구와의 관계도 쉽지 않고요. 미래가 불안하고, 무엇을 어떻게 해야 할지 모르겠고, 심지어 하고 싶은 게 무엇인지 모를 수도 있습니다. 그러나 너무 걱정하지 마세요. 나만 뒤처지는 것 같아 불안할 수 있지만 5년 후의 내가 되어 지금의 나를 보면서 '괜찮아', '잘하고 있어'라고 응원해주세요.

「수고했어, 오늘도」라는 곡의 노랫말처럼 여러분 자신의 마음, 가까운 사람들의 마음을 하루하루 다독이다 보면 어느새 5년 뒤엔 더 멋지고, 행복한 여러분이 되어 있을 겁니다.

빈집의 공포, 남의 일 아닌 우리 앞의 현실

——

최근 한 시사 주간지 보도에 따르면 광양시의 빈집 비율이 16.5%로 전국 평균인 7.18%를 넘어 최고치 수준을 보인다. 빈집은 비수도권 지역의 일반적인 문제지만 광양·곡성·구례는 더 심각한 상황이며 해마다 증가하는 실정이다.

일본의 예에서 보면 최근 10년 사이 빈집의 비율이 두 배로 늘어났다. 10가구 중 3가구가 빈집이라는 우리 사회 10년 후 미래는 생각만으로도 공포다. 빈집이 늘면 쓰레기 투기, 화재, 범죄 발생률이 높아진다. 마을 분위기가 침체해 주민들이 떠나면 결국 빈집은 더욱 늘어난다. 이러한 악순환은 눈덩이처럼 커지고 반복된다.

빈집 문제는 단순하지 않다. 수도권 집중화로 인한 도농 격차를 고착 심화시키는 국토 균형 개발의 문제, 고령화와 저출산 같은 인구 구성 변화로 인한 지방 소멸의 문제, 제조업 쇠퇴와 같은 산업 구조의 변화, 정부의 주택 정책 등 전국적 사안의 문제들이 발생한다.

또 지역적으로는 주택 노후화, 신도심 개발과 원도심 공동화, 그리고 일자리, 복지, 교육, 문화, 의료를 포함한 정주 여건까지 얽힌 복잡한 문제다. 그런 만큼 해결책도 다양한 수준과 방법으로 추진되어야 한다.

지방자치단체에서는 빈집 정비와 철거에 보조금을 지원하고, 귀촌을 포함해 전입 희망자에게 빈집 정보를 제공하며, 빈집을 리모델링해 다양하게 활용하는 사업을 펼치고 있다.

일례로 현재 광양시는 국가균형발전위원회에서 주관하는 '새뜰마을' 사업에 선정되어 봉강, 옥룡 등지에 주택 정비를 추진하고 있고, 범죄 예방을 위해 빈집 점검 활동을 펼치기도 한다.

곡성군은 2019년 100동을 목표로 빈집 정비를 추진하고 있고, 빈집을 고쳐 '귀농인의 집'으로 활용해오고 있다.

최근 연예인들이 빈집을 세컨드하우스로 리모델링해 살아가는 TV 예능 프로그램 〈자연스럽게〉의 촬영지로 주목받고 있는 구례군은 귀농 희망자가 살아보고 결정할 수 있도록 체류형 농업창업 지원센터를 설립해 귀농 사업에 빈집을 활용하고 있다.

이와 더불어 지방자치단체 대다수가 주력하고 있는 사업은 도시 재생이다. 2017년부터 전국에 모두 265곳이 도시 재생 뉴딜 지역에 선정되어 사업이 추진 중이고 2022년까지 총 50조 원이 투입될 예정이다.

도시 재생 사업이 빈집 문제 해결과 주거 복지 향상, 지역 경제와 구도심 활성화를 목표로 하는 적극적인 노력임은 분명하다. 그러나 이러한 노력에도 빈집은 늘고 있으며 도심은 생기를 잃어가고 있다.

도시 재생 뉴딜 사업 대상지로 선정되면서 임대료 상승이 가속화되었고 기존 세입자를 포함해 원주민들을 내쫓는 젠트리피케이션으로, 정작 마을 공동체를 일궈온 예술가들과 주민들은 마을을 떠나야 했다.

또 관광지나 유명한 마을이 아닌 농촌 지역에서 도시 재생 사업이 계획·진행되는 경우 단독주택 집값이 들썩이거나 외지인이 빈집에 투자했다 되팔아 시세 차익을 남기고 떠나는 일이 발생하고 있다.

도시 재생이, 유행가 가사처럼 "싹 다 갈아엎어주세요" 같은 재개발이 아니라 주민의 거주 여건을 향상하고 공동체를 활성화하면서도 동시에 지역의 역사와 문화를 보존하고 지속 가능한 도시와 마을 시스템을 만들어가는 과정임을 염두에 둔다면, 현재 진행 중인 도시 재생 사업은 도시 재생 본래 의미를 살리는 방향으로, 즉 원주민들이 주체가 되어 원주민의 뜻이 지속적으로 반영되도록 그 방향과 방식이 끊임없이 섬세하게 수정되어야 할 것이다.

국토정보공사에 따르면 2050년 전남은 인구 감소로 네 집 중 한 집(25.4%)에 사람이 살지 않을 것으로 예상됐다. "2050년에는 65세 이상 혼자 사는 가정이 429만 가구로 전체의 19%를 차지할 것"이라며 "노인 인구가 병원이나 요양 시설로 옮기면 그 집은 자연스럽게 공가(空家)로 전락한다"고 밝혔다. 각 지방자치단체는 일단 지어 놓고 보자는 식의 토지 개발과 아파트 신축을 없애야 한다. 이제부터라도 정부와 지방자치단체가 주택 인허가 등 건축률을 관리하면서 빈집 정비율을 동시에 조율하고 통제하여야 한다.

현재 지방자치단체들은 인구 조사에서 가시적 성과를 내고자 임시 방편으로, 대학생이나 단기 근로자를 대상으로 전입 신고 장려 활동을 펼치고 있지만, 인근 지방자치단체와의 신경전만 유발하는 제로섬 게임일 뿐이다.

근본적인 수준에서 해결책은, 전국의 인구를 진공청소기처럼 빨아들이는 수도권 집중화가 주요 배경 원인이라는 점에서 지방 지방자치단체와 국회의원들의 연합을 이끌어내 특별법을 제정하고 강력한 인구 균형 정책 같은 특단의 조치를 마련하는 것이다.

강한 정치적 리더십이 요구되는 해법이다. 교육, 취업, 문화, 병원 진료를 위해 수도권으로 집중하는 구조적인 문제를 해결하고자 하는 사회적 이해와 결단이 시급한 시점이다.

풍성한 밥상
차리기

광양항 부활과 지역 경제

───

광양 경제의 두 날개가 철강과 항만이라는 것을 부정하는 시민은 없을 것이다. 그런데 유독 한 날개에만 관심을 둔다는 느낌을 지울 수 없다. 철강 산업은 어려운 경기 여건에도 기업의 대응과 '포스코 기 살리기 캠페인', '조업정지 처분 철회 집회' 등 시와 시민의 뜨거운(?) 관심 속에 날갯짓을 이어가고 있다.

그러나 광양항은 퇴락하고 있는 데다 시민의 관심에서 점점 멀어져간다. 개발 당시 천혜의 지리적 조건을 바탕으로 황금빛 청사진이 그려졌던 것이 무색할 정도다. 정부 항만 정책의 갈지자 행보로 광양항은 급격히 변화하는 세계 항만 시장에서 도태되고 있다.

지역 정치권도 손을 놓고 있다.

한쪽 날개로 나는 새는 없다. 철강 산업 하나로만 광양 경제를 도약시킬 수 없다. 지금이라도 광양 경제의 미래를 위해 모든 역량을 집중해야 한다. 때가 되면 일회성으로 열었다 말 잔치로 끝나는 토론회로는 안 된다. 모든 가능성을 열어놓고 끈질기고, 악착같은 노력이 필요하다. 시간이 많지 않다.

광양만이 감싸고 있는 광양항은 천혜의 여건을 갖추고 있다. 방파제 없이도 정온 수역을 유지하며 철강, 석유화학, 컨테이너 등 복합 화물을 취급할 수 있다. 배후 단지도 넓다. 21세기 동북아 물류 중심 기지로 성장할 잠재력이 충분하다.

하지만 현실은 암담하다. 북중국 환적 화물 유치를 통한 동북아 물류 허브 항만에서 배후 물동량 창출을 통한 고부가가치 항만으로 비전을 바꾸었지만, 물동량을 창출하는 제조업 여건이 부족한 상황에서 실현하기 어려운 목표였다. 기대했던 율촌산단 개발도 광양항 활성화에 도움을 주지 못했다.

광양항 발전의 발목을 잡는 규제부터 풀어야 한다. 이른바 물동량과 항만 개발을 연계하는 트리거(trigger) 룰이다. 물동량이 많은 곳만 추가 개발을 허용한다는 이 정책은 기득권을 가진 항만에만 유리하다. 광양항의 근본적 변화도 필요하다. 노후 시설을 현대화해야 한다. 세계적 항만들처럼 스마트 시스템을 도입하여 항만

생산성을 높이는 게 시급한 과제이다. 배후 단지 확보도 중요하다. 세풍산단 개발 지역을 광양항 배후 단지로 지정하는 것도 검토할 만한 대안 중 하나이다.

항만 산업을 철강과 더불어 광양의 대표 산업으로 만들기 위한 지역 정치권, 행정, 시민의 역량 결집이 이루어져야 한다.

빈틈을 살피는 세심함

광양시는 출산 장려금과 산후조리비용 지급 등 다양하고 차별화된 출산 지원 정책을 펼치는 곳으로 알려졌다. 2019년 상반기에는 전년 같은 기간에 비해 신생아 수가 5.6% 늘어나는 효과도 나타났다.

하지만 세심한 배려가 부족하다는 지적이 나온다. 대표적인 게 산부인과와 산후조리원이다. 중마동의 65%, 광양읍의 90% 신생아는 순천 지역 산부인과에서 태어난다. 그리고 순천의 산후조리원을 이용하는 산모도 높은 비율이다. 광양시민이 지역 산후조리원을 이용하면 80~140만 원의 산후조리비용이 지원된다. 그런데도 순천의 산후조리원을 이용하는 비율이 높다.

현재 상황은 산모 대부분이 산달 직전까지는 광양의 산부인과에서 진료받다가 출산은 순천에서 한다. 그리고 일부 산모는 시 지원을 받기 위해 광양에서 산후조리를 하지만 상당수는 지원을 포기하고 순천에서 산후조리를 한다.

이렇게 된 이유는 집중치료실과 산후조리 시스템의 차이라고 한다. 분만과 산후조리가 가능한 시설은 중마동에 의원급 1곳뿐이고 광양읍에는 아예 없다. 지역 산부인과 한 곳에서 개설 계획이 있지만, 아직 검토 단계라고 한다.

집과 멀지 않은 곳에서 그리고 안전하고 건강한 환경에서 아이를 낳을 수 있는 것은 중요한 기본권이다. 지방 행정의 적극적인 개입과 제도 지원이 필요한 부분이다. 출산에 적극적인 예산 지원을 한다면 빈틈이 생기지 않도록 꼼꼼히 배려하는 세심함도 병행되어야 할 것이다.

참고로 할 좋은 사례가 있다. 경기도의료원이 운영하는 여주공공산후조리원이다. 2019년 5월에 문을 연 이 시설은 시설 대비 비용이 최대 65% 저렴하다. 그러면서 에어 샤워, 신생아 음압격리실 등 감염 예방 시설도 갖추었고 산모 회복 프로그램도 잘 짜였고 양질의 식단도 제공한다. 또한 산모에게 모유 수유를 권장하고 산모와 신생아가 같은 병실에서 지내며 유대를 높인다. 공공시설이기 때문에 가능한 일이다.

아이를 10개월간 배에 품고 출산하고 또 회복하기까지의 과정은 아이를 만난다는 설렘과 아이를 건강하게 잘 낳을 수 있을까 하는 불안이 공존하는 시간이다. 그런 중요한 시간 동안, 우리 지역의 산모들이 멀리까지 가서 원정 출산과 산후조리를 받지 않아도 되도록, 집 가까운 곳에서 안전하고 편안한 곳에서 그런 서비스를 받을 수 있도록 시에서 적극적인 조치를 하고 다른 지역의 좋은 정책도 벤치마킹해야 할 것이다.

주민 삶과 관련된 모든 일을 공공에서 담당할 수도 없고, 그래서도 안 된다. 하지만 저출산 고령화와 양극화로 몸살을 앓고 있는 시대에 공공이 관심을 두어야 할 영역이 많다. 여성과 청소년 긴급 보호, 출산, 보건의료, 치매와 노인 간병 등이 그것이다. 이 분야에는 정부와 지방자치단체의 예산도 많이 투입된다. 공공 서비스를 이용하는 주민들이 불편 없이 실질적으로나 정서적으로 만족감을 가질 수 있도록 하는 세심한 보살핌이 필요하다.

어찌 보면 정치는 인간적 보살핌이다. 사람다운 정이 있어야 한다. 예산을 조금 내려주고 내 할 일은 끝났다는 식으로 방관할 것이 아니라 구석구석 빈틈이 없는지, 더 보완하면 성과가 날 부분은 없는지 섬세하게 살펴보고 더 나은 대안을 찾아야 한다.

문화적 도농 격차 해소
___

수도권과 지방의 격차, 도농 격차는 어제오늘 일이 아니다. 그 내용도 일자리, 교육, 의료부터 문화까지 다양하다. 그중 문화적 격차도 상당하다. 한창 자라는 자녀를 둔 부모는 그런 차이가 더 아쉽게 느껴진다. 좋은 연극, 뮤지컬, 연주회, 전시회, 체험 활동 등 다양한 경험을 시켜주고 싶은데 기회가 많이 부족하다. 또 대도시에 살든 시골에 살든 상관없이 집안 형편에 따라서도 아이들이 누리는 문화생활 차이가 크다. 종일 TV와 스마트폰만 보는 아이도 있고 부모와 함께 공연장, 도서관, 수영장을 다니는 아이도 있다.

이런 격차를 줄이기 위한 큰 수준에서의 방법은 비수도권 지역에도 골고루 다양한 문화 시설을 설립하는 것이다. 이 점에서 2020년 10월에 전남도립미술관이 개관한다는 소식이 반갑다. 여기에 어린이 체험실과 도서실도 갖춘다고 하는데, 일회적으로 한 번 보면 끝나는 정적인 미술관이 아니라 일상적으로 방문하고 싶은 생생한 공간으로 탄생하기를, 그리고 무엇보다 아이들이 재미있게 참여할 수 있는 전시와 프로그램을 많이 갖추기를 기대한다.

작은 수준에서 해법도 있다. 마을 문화 공동체를 살리는 것이 그 하나이다. 쉽게 말해 도서관, 마을회관, 체육관, 서점, 카페 등이 마을 사랑방이 되는 것이다. 주민들이 복닥복닥 자주 모여 영화나 책을 보고 감상도 나누고 소규모로 전시회, 책 낭독회, 시 낭송회도 할 수 있는 여건을 조성하고 이를 제도적으로 뒷받침하는 방안이다.

아이와 함께 편하게 들를 수 있는 공간, 퇴근길에 누가 왔는지 들여다보고 싶은 공간이 마을에 생기면 마을 분위기가 한층 달라진다. 몇 년 전 광양읍에 생긴, 함께 영화도 보고 공연도 하는 문화놀이터 '공감 22'는 좋은 모델이다. 이런 멋진 공간을 우리 지역에 계속 늘려나가야 한다. 현재 전국 곳곳에서 진행 중인 도시 재생 사업도 이런 마을 문화 공동체를 살리는 데 역점을 두어야 하지 않을까 생각해본다.

아이는 부모를 선택할 수 없다. 그래서 헌신적인 부모를 만나 양질의 교육과 여가를 누리는 것은 행운의 영역이다. 이것을 우리 사회의 모든 아이가 누리게 할 수 없을까? 사회가 가정의 빈 구멍을 메워줄 수는 없을까? 이것을 고민하고 해답을 찾는 게 정치가 할 일이다.

귀농·귀촌 경쟁력 확보

인구 감소와 소멸 시대의 농촌 지역에서 귀농·귀촌 인구 유입은 가장 효과적인 생존과 발전 전략이다. 전라남도, 그중에서 구례와 곡성은 꽤 훌륭한 귀농·귀촌 지역으로 꼽힌다.

곡성군이 귀농·귀촌 가구의 성공적인 정착을 위한 정책 수립 기초 자료로 활용하기 위해 최근 3년 내 도시 지역에서 곡성군으로 이

주한 귀농·귀촌 가구를 대상으로 2018년 실시한 '곡성군 귀농·귀촌 실태조사' 결과, 귀농·귀촌에 대해 전반적으로 만족하는 비율이 33.7%로 불만족 14.6%에 비해 2배 이상 높은 것으로 나타났다.

부문별로는 주거 환경, 이웃 관계, 건강 부문에서는 만족도가 높았으나 경제 여건과 지역 인프라 등에서는 비교적 불만족 비중이 높은 것으로 파악되었다. 전입하기 전 거주지는 광주와 서울, 경기 순이었으며 귀농·귀촌을 결정한 이유는 퇴직 후 전원생활이 26.7%로 가장 높은 비율을 차지했다.

2018년 한 해 동안 전라남도에 귀농·귀촌 인구 4만여 명이 유입되었다. 웬만한 군 하나가 1년 만에 생겨난 셈이다. 전국적으로 경상북도에 이어 2위에 해당하는 규모이다. '인구 절벽'에 직면한 전라남도의 시군에 귀농·귀촌 인구 증가는, 특히 광양·곡성·구례 지역 농촌에 활력을 불어넣고 인구 늘리기에도 크게 이바지할 것이다.

앞으로도 귀농·귀촌 인구의 안정적인 정착 지원에 최선의 노력을 지속해서 기울여야 한다. 실태 조사에서도 알 수 있듯이 우리 지역은 귀농·귀촌인들에게 매력적인 주거 환경을 가지고 있다. 이에 덧붙여 귀농·귀촌인들이 불편을 호소하는 부분을 보완하는 노력이 진행된다면 귀농·귀촌 증가세가 더 커질 것이다. 귀농·귀촌 인구의 적극 유입 노력은 지역 경제의 희망을 또 하나 가꾸는 소중한 일이다.

정주형 관광 모델 개발

———

최근 국내 관광의 주력이 '숙박형'에서 '정주형'으로 바뀌고 있다. 숙박형 관광은 그 지역 명소를 찾아 구경하고 근처 식당에서 식사하고 펜션이나 여관, 호텔에서 하루 이틀 자고 가는 일반적 유형이다. 반면 정주형은 일상에서 벗어나 그 지역에 오래 머물며 마음을 가다듬고 휴식을 취하는 형태이다. '제주도 한 달 살기' 같은 게 대표적이다.

정주형 모델은 머무는 기간이 길기에 관광객 소비 규모가 더 크다. 또한 지역에 대한 깊은 호감을 주기에 이후 반복 방문이 일어날 가능성이 커지고 더 나아가 이주를 결심하는 사람도 나온다.

지리산과 섬진강이라는 천혜의 자연환경을 갖춘 구례는 정주형 관광객을 유치할 잠재력을 지녔다. 다만 숙박형 관광객 위주로 구성된 기존 인프라와 별개로 중장기 거주에 적합한 시설과 프로그램을 확충하는 노력이 필요하다. 이런 작업이 체계적으로 진행된다면 여러 유리한 여건을 누리며 차별성 있는 정주형 관광지로 발전할 가능성이 크다.

정주형 관광 모델 중 대표적인 게 특성화된 교육이다. 교육을 받는 동안 그 지역에 체류하기 때문이다. 곡성은 교육 프로그램을 통한 정주형 관광 모델에 다가서는 중이다.

곡성에는 '꿈놀자학교'가 있다. 숲속에서 다양한 놀이와 체험을 하는 프로그램이다. '아빠랑 나무집 짓기', 나침반과 지도를 활용해 정해진 시간 내에 최종 목적지까지 돌아오는 유럽형 숲 레포츠 '숲 오리엔티어링', 대나무 숲과 습지가 선사하는 아름다운 풍경을 보며 클라이밍 장소로 이동한 뒤 맨손 클라이밍, 스윙, 가지 걷기 등의 기술을 배운 후 안전장비를 착용하고 본격적으로 밧줄을 타고 나무 위를 오르는 새로운 숲 놀이 교육 '트리클라이밍' 등 다양한 프로그램을 선보였다. 아이들은 나무와 숲, 습지에 둘러싸여 스마트폰에서 해방되고 자연을 만끽한다. 부모들은 이런 아이들의 모습을 바라보면서 흐뭇해한다.

곡성은 면적의 70% 이상이 숲이다. 어떤 면에서 약점일 수 있는데 이를 강점으로 활용한 게 인상적이다. 꿈놀자학교가 현재 운영 중인 단기 프로그램에 중장기 프로그램을 효과적으로 덧붙인다면 이상적인 정주형 모델로 발전할 것이다.

가끔 서울에 갈 때마다 학원가 옆에 죽 늘어선 버스 그리고 줄을 서서 버스에 타는 아이들을 보곤 한다. 안쓰럽고 답답하다. 이 아이들에게 뛰어놀 시간, 숲속에서 친구들과 뒹굴고 곤충을 살펴보고 선생님과 새로운 체험을 해보는 시간을 선사하는 것은 우리 지역이 줄 수 있는 큰 선물이다. 이와 함께 지속 가능하고 조화로우며 특색 있는 지역 발전을 이룰 수 있을 것이다.

지역 신문이 해야 할
또 다른 일

정치 지망생들에게 인색한 지역 언론

——

언론에는 전국의 이슈를 다루는 중앙 언론과 지역의 이슈를 다루는 지역 언론이 있다. 사람이 사는 곳은 어디나 사건이 있고 의견이 있기 마련이니, '일'을 찾아 전달하고, '말'을 담아 올바른 여론을 형성하는 지역 언론의 존재는 꼭 필요하다.

그런데 지역 언론의 존재 이유가 특히 두드러지는 영역이 정치라 할 수 있다. 대다수 지역 언론은 국회의원, 군수, 도의원, 군의원 등 정치인들의 동정을 소개하는 데 지면을 할애한다. 대의기관의 활동 내용은 그를 선출한 주권자의 당연한 관심사이거니와 이후 그를 다시 선출할지를 판단하는 근거가 되므로 정치인의 활동을 소개하는 것은 당연한 일이고 언론의 책무이기도 하다.

그런데 눈여겨봐야 할 것은 지역 신문이 정치 지망생의 활동을 소개하는 데는 매우 인색하다는 점이다. 지역 신문들은 공직선거법, 다른 사람과의 형평성 등 다양한 이유를 대며 정치 신인들의 활동 상황을 좀처럼 소개하지 않는다. 이러다 보니 정치 지망생들은 자신을 알릴 방법이 없다.

어쩔 수 없이 자신이 소속되지도 않은 읍·면의 체육대회, 동창회, 사회단체 단합대회 등 행사장을 찾아 참석자들에게 명함을 나누어주는 방식으로 자신을 알린다. 썩 친하지 않거나 잘 알지도 못하는 사람의 상갓집이나 결혼식장을 찾기도 한다. 이름을 알릴 요량으로 상갓집에서 웃는 얼굴로 명함을 돌리는 볼썽사나운 일도 서슴지 않는다. 기성 정치인도 마찬가지지만 얼굴이 알려지지 않은 정치 신인에게 이러한 일은 더 절실하다.

정치는 낯 두꺼운 사람의 전유물인가?

———

이러다 보니 의례 정치를 하는 사람은 뻔뻔하고 낯 두꺼운 사람이거나 출세욕이 강한 사람으로 인식된다. 그런 사람들만 정치를 할 수 있거나, 정치를 하려면 마땅히 그래야 한다고 강조한다.

그 결과 '자리'에 대한 욕망이 그리 강하지 않으면 정치를 하겠다는 생각을 감히 하지 못하게 된다. 가령 농촌 지역의 대중교통 운영 실태에 관해 문제의식을 품고 해결 방안을 건의하였으나 받아들여지지 않은 경험을 한 사람이 '군의원이 돼서 이 문제를 해결해보겠다'라고 결심하는 일이 불가능하게 되는 것이다. 그런 정도의 동기로 시작하기에 정치는 너무 어렵고 힘들다. 정치에 대한 관심이 지대하고 지역 현안에 대한 식견이 탁월한 사람이라도 마찬가지다.

이렇듯 생활 속에서 정치의 필요성을 느껴 직접 뛰어드는 것이 극히 어렵다 보니 정치를 하려면 '전투적 의지'가 필요하고, 전투적 의지로 충만한 사람들이 모인 정치판은 험악해지게 된다.

지역 정치 발전을 위한 지역 언론의 역할
―――

이를 해결하여 좋은 정치, 생활 정치의 풍토를 만들려면 언론이 그 역할을 해주어야 한다. 언론이 지역 현안에 대한 토론의 장을 자주 열어 정치 신인들의 참여를 보장해주는 것이다. 농촌 지역 대중교통 시스템의 개선, 지리산 권역의 관광 활성화가 구례 지역 경제에 미치는 영향, 인구 급감에 대한 대책 등 다양한 지역 이슈에 관한 토론회를 열고 그 내용을 중계하면, 유권자들은 이를 통해 지역의 문제점과 해결책을 알아감과 동시에 토론자들의 식견을 헤아리게 된다.

누가 그 문제를 더 깊이 연구하여 알고 있는지, 누구의 대안이 더 현실적인지, 누가 더 진정성 있게 지역 현안을 대하는지 구별한다. 그리고 그렇게 토론의 장에서 돋보이는 사람에게 정치 참여를 권유하게 된다.

이러한 방식으로 정치에 입문할 수 있으면 돈과 조직이 없는 사람도, 다른 사람에 비해 덜 뻔뻔하거나 출세욕이 덜 강한 사람도 정치를 할 수 있다. 개인의 출세 수단으로서가 아니라 정치의 공적 기능에 충실한 사람이 더 많이 정치에 직접 참여할 수 있는 것이다. 그리고 이런 사람들로 채워진 정치판은 예전보다 훨씬 부드럽게 변할 것이다.

언론이 현직 국회의원, 군수, 도의원, 군의원 등 이미 이름이 알려진 정치인의 동정만 실으면 정치가 변하지 않는다. 언론의 비판 기능을 통해서뿐 아니라 언론이 여는 토론의 장을 통해 발굴되는 정치 신인들에 의해서도 정치는 바뀐다.

지역 언론들이 지역 이슈에 대한 다양한 의견을 소개하여 여론을 형성하는 역할 외에 정치 신인들을 발굴하는 장이 되어주길 기대한다.

2장

가치의 밥상

가치의 정치를 향하여

우리가 행복하지 않은 이유

———

우리는 돈을 더 많이 벌어서 먹고사는 문제만 해결하면 저절로 행복해지리라 믿어왔다. 그 믿음으로 앞뒤 돌아보지 않고 주변을 살피지도 않은 채 숨 가쁘게 달려왔다. 그 결과 사회적으로 어느 정도의 풍요를 이루었다. 하지만 우리에게 찾아온 것은 행복이 아니었다.

모두가 배불리 먹고살 자원이 넘치는 세상에서 누군가는 허기진 배를 움켜쥐고 잠들어야 한다. 수억, 수십억, 심지어 수백억 원의 소득을 올리는 사람들의 한편에서는 안전장치가 갖추어지지 않은 컴컴한 작업장에서 컵라면으로 끼니를 때우며 힘겹게 일하다가 산업재해로 미처 꽃피지도 못한 짧은 삶을 마감하는 젊은이들이 있다.

어느 정도 벌었다고 생각하는 사람들조차 소비만 늘었을 뿐 심성은 더 가난해졌다. 빚지고 마음이 쪼들리고 걱정과 불안에 시달린다. 지식과 정보가 넘쳐나지만 바르게 세상을 사는 지혜는 오히려 줄어들었다. 정신없이 분주하게 일하고 움직이면서도 어디로 향하고 있는지 목표와 의미를 알 수 없게 되었다.

애초 우리의 바람은 그런 게 아니었다. 가족과 함께하는 따뜻한 저녁 식사, 늙은 부모님의 시름없는 푸근함, 천진한 아이들의 밝은 웃음, 퇴근길 벅찬 보람과 즐거움, 흐드러지게 핀 들꽃의 아름다움, 서로 믿고 배려하는 착한 이웃들, 존중받고 존중하는 존엄한 삶을 원했다.

더 벌고 더 높은 자리에 오르면 이것들을 살 수 있으리라 믿었는지도 모른다. 하지만 그 반대였다. 아름답고 소중한 것들을 대가로 치르고 보잘것없는 돈과 자리를 얻었다.

이것은 우리가 사는 세상의 역설이다. 어쩌다 이렇게 되었을까? 나는 가치를 잃었기 때문이라고 생각한다. 우리는 돈을 좇고 권력을 좇고 욕망을 좇고 무엇인가를 얻기 위해 처절하게 경쟁하는 동안 소중한 가치를 잃어버렸다. 가치를 잃은 것은 한 사람 한 사람의 개인들뿐만이 아니다. 우리 사회 전체가 가치를 잃고 시름에 빠졌다.

정치의 부재

——

소위 정치가가 늘어나고 선거 전략과 표를 얻는 기술이 화려하게 발전했으며 각종 매체를 통해 정치 담론이 풍성해졌다. 하지만 그 어디에도 진짜 정치는 없다. 유튜브와 페이스북, 트위터 등 소셜네트워크에는 가짜 정치가 범람한다. 심지어는 왜곡된 뉴스를 비틀어진 신념에 짜 맞추어 대중을 현혹하려는 이들이 판을 치고 있다.

사회적 조정 역량을 통해 불리한 사람을 북돋아주는 진정한 정치는 사라졌다. 정치 과잉의 시대를 살면서 정치 부재로 고통받는 비극적 역설에 처한 상황이다.

갈등의 조정을 통해 힘없고 가난한 사람들을 돕는 것이어야 할 정치는 권력투쟁이나 선거공학으로 전락하여 힘세고 부유한 사람들이 한층 더 출세하는 권력의 장이 되었다. 이런 정치는 서민과는 아무런 상관이 없어졌는지도 모른다.

하지만 정치는 본질적으로 강한 자가 아니라 약한 사람을 위해 존재한다. 이미 많이 가진 사람들에게 정치는 거추장스럽게 느껴지는 게 자연스럽다. 자신에게 힘과 부를 안겨준 현재 상황이 변함없이 계속되기를 바라기에, 이들에게는 정치라는 이름의 개입이 달갑지 않아야 정상이다. 그래서 전통적으로 보수주의자들은 정부의 기능을 줄이고 제한하는 쪽으로 움직여왔다. 정치의 기능을 늘리려는 사람들에 맞서 최대한 정치를 억제하는 것이 보수주의 자들의 사명이라 할 수 있다.

그러다가 정치 아닌 것이 정치의 자리를 차지하는 안타까운 일이 생겼다. 개입과 조정을 통해 힘의 균형을 맞추는 정치는 퇴색하고, 권력을 동원해서 가난한 사람의 마지막 남은 것마저 빼앗아 부유한 사람에게 몰아주는 행위가 정치라는 이름으로 불리게 되었다.

정치는 권력자보다는 평범한 시민을, 재벌기업보다는 중소기업을, 사업주보다는 노동자를 편들어야 힘의 균형을 맞출 수 있다. 모든 경우에 그래야 한다는 건 아니다. 전반적으로 그런 태도를 가져야 사회의 공평함과 질서가 살아날 수 있다는 뜻이다. 정치가 권력자와 재벌기업, 사업주를 편들고 나서면 힘에 힘을 더하는 형국이 되어 균형이 무너지고 만다.

슬프게도 우리 사회에는 이런 일이 버젓이 정치라는 이름으로 불리고 있다. 비리와 부정, 불법과 태만을 저지른 부자들을 옹호하면서 이로 인해 고통을 겪은 사람들의 울부짖음은 시끄럽다고 처벌한다.

정치를 살리는 관심과 참여
——

곳곳에 정치가 넘쳐나는데도 정치가 부재한 이 역설적 현실에서 우리는 무엇을 해야 할까? 정치의 현장으로 들어가 잃었던 정치를 되찾아와야 한다. 정치에 대한 냉소와 무관심은 결코 해결책이 될 수 없다. 관심을 끄는 것은 자기 이익에 혈안이 된 정치꾼들을 더 이롭게 한다. 이 시대의 비극은 더 깊어져 돌이킬 수 없는 지경이 될 것이다. 관심을 두고 비판하고 견제하며 선거권을 적극 행사해야 한다.

그리고 조정으로 균형을 맞추는 정치, 가치를 지향하고 추구하는 진짜 정치의 비전을 품은 사람이라면 과감히 선거에 나서야 한다. 그것이 그의 숙명이요 사명이다. 부와 권력을 지닌 사람에게 주눅 들지 않고 가치와 정의를 실현하는 정치의 세계로 들어가야 한다.

정치에 뜻을 둔 사람은 "거지도 한 표, 부자도 한 표"라고 표현되는 보통선거로 국회의원에 선출되고자 노력하는 게 바람직하다. 이때 보통선거의 메커니즘에 따라 표를 얻기 위해 '힘 있는 사람'과 '보통 사람', '약한 사람' 모두를 똑같이 대할 수밖에 없기 때문이다. 이런 국회의원이 고위관료나 독점재벌 등의 탐욕과 독식, 독점을 견제하며 공동체의 이익을 견지할 수 있다.

정치의 뜻을 둔 나를 말리는 분들도 더러 있다.

"왜 혼탁한 곳에 들어가 영혼을 더럽히려 하느냐?"

"선량한 의도와는 상관없이 권력을 좇는 출세주의자로 보일 수 있다."

이분들의 애정이 정말 고맙게 느껴진다. 하지만 나는 크게 걱정하지 않는다. 내가 들어가려는 정치의 세계는 전혀 다른 곳이기 때문이다.

권력암투의 복마전이 아니라 조정을 통해 약한 사람을 돕는 진짜 정치의 현장이다. 나를 통해 정치다운 정치가 살아 움직이는 모습을 보여주고 싶다.

가치의 정치를 복원하자

이대로는 안 된다.

우리의 삶이 너무나 불행하다. 이제 가치를 지향해야 한다. 가치의 정치를 통해 행복한 사회를 이루어야 한다. 나는 나의 정치 철학을 '가치의 정치'로 표현한다. 이것이 내가 정치를 하려는 이유이며 도달하고자 하는 지향점이다.

우리는 경쟁에서 이기고 더 높은 자리를 차지하고 더 많은 돈을 번 다음에야 가치를 얻을 수 있다는 논리가 틀렸음을 과거 경험을 통해 알고 있다.

1인당 국민소득이 3만 달러, 4만 달러, 5만 달러가 되더라도 현재와 같이 전쟁의 공포에 휩싸이고 생명이 경시되고 인권이 짓밟

히며 불평등이 깊어지며 신뢰와 존중·배려가 사라지고 소통이 막히고 분쟁이 난무한다면 결코 행복해질 수 없다.

그러므로 무엇보다 앞서서 가치를 추구해야 한다. 생명의 소중함을 떠받들어야 한다. 서로 믿고 존중하며 배려하는 문화를 싹틔워야 한다.

민주주의와 인권을 지키고 가꾸어야 한다. 차이를 바탕으로 싸우기보다는 화해하고 협력하며 벽을 허물고 서로 소통하는 공동체를 이루어 더불어 잘 살아야 한다.

내가 가치를 좇는 정치를 하겠다고 말하면 그것은 막연한 이상이 아니냐고 반문하는 사람도 있다. 나는 한 번도 그렇게 생각해본 적이 없다. 가치는 엄연한 현실이기 때문이다. 가치가 먼저 서야 돈도 제대로 벌고, 제대로 쓰면서 행복해질 수 있다.

가치를 잃은 사회는 부정과 부패, 불공정이 난무하여 진정한 행복이 없다. 안전도 장담할 수 없다. 화려한 백화점 건물이 무너지고 큰 다리가 붕괴하고 대형 선박이 침몰한 것은 가치를 잃고 돈만 좇던 기업가와 공무원, 그리고 정치인의 합작품이다.

가치가 서야 경제도 살아난다.

공정성이라는 가치가 없다면 누가 힘들게 일하고 생산하려 하겠는가. 투명한 사회 시스템과 정부에 대한 신뢰가 없다면 건전한 투자와 성장도 불가능하다.

한국 경제는 수출 의존도가 강하다. 하지만 내수가 살아나야 경제에 활력이 생긴다. 내수의 기본 전제는 돈을 쓸 여력을 지닌 사람이다. 그런데 기업들이 종업원을 함부로 내쫓고 정부가 복지를 외면한다면, 자신들의 주머니는 잠깐 부풀어 오르겠지만 장기적으로 소비자를 잃게 될 것이다. 여력이 있는 사람도 불안한 미래 때문에 지갑을 열지 않아 결국 경제가 꽁꽁 얼어붙을 것이다. 이런 상황에서는 경제가 호전된다 하더라도 결국은 거품과 투기일 뿐이다. 결과적으로 늘 경제위기 속에 지니게 된다. 문재인 정부가 소득 주도 성장을 추구하는 것 역시 이런 맥락에 맞닿아 있다.

평화와 화해의 가치가 서야 통일도 이룰 수 있다. 통일이야말로 한국 사회의 근본적 변화와 발전을 이끌어올 최고의 기회이다. 북한 정권이 마뜩잖다고 적개심을 드러내고 설득을 포기한다면 절호의 기회가 물거품처럼 사라질 것이다.

나에게 가치는 정치의 출발점이자 바탕이다. 가치에 최고의 우선순위를 두며 가치를 모든 판단의 근거로 삼으려 한다. 또한 정치를 통해 우리 사회의 가치를 하나하나 회복시키고 실현하려 한다. 내가 나고 자란 광양에서 시작해 대한민국 전체로 소중한 가치를 확산시킬 것이다.

가치가 꽃피는 광양, 가치가 강물처럼 흐르는 대한민국을 만드는 것이 나의 정치적 포부이다.

초심을 되새기며

―

나는 2015년에 정치 현장에 들어가겠다는 마음을 굳혔다. 하지만 일이 내 뜻대로 풀리지는 않았다.

앞서 말했듯이 그때 출마하지 못한 것은 오히려 다행이었다. 동네 변호사로서 주민들과 함께하며 공감 능력을 키웠고 인간적으로나 정치적으로 단련하며 성숙하는 계기가 되었기 때문이다. 4년 넘는 시간이 흘렀지만, 가치의 정치를 펼치겠다는 내 각오는 한 점도 변질되지 않았다.

가끔 처음 정치에 뜻을 두었던 시절에 쓴 글을 꺼내 읽는다. 초심에 비추어 나를 살피기 위해서이다. 나는 '마로현 편지'라는 제목을 붙여 내가 숙고해서 정리한 정치의 이상을 담아 두 편의 글을 썼었다.

그 글들을 거듭 읽으며 내가 흔들림이 없는 것은 다행스럽지만, 세상이 한 치도 나아지지 않은 것을 끔찍한 불행으로 여긴다. 그 사이에 시민들의 '촛불 혁명'으로 국정을 농단하던 무능하고 부패한 대통령을 권좌에서 끌어내렸다. 하지만 우리 사회의 기득권 적폐가 여전히 남아 생존의 몸부림을 하고 있다. 우리 사회의 진정한 변화와 가치의 정치를 이루기 위해서는 이들과 싸워 이겨야 할 것이다.

그때 썼던 두 편지글을 그대로 지면에 옮긴다.

마로현 편지 제1호

찬바람이 옷깃 사이로 파고드는 2월입니다. 겨울도 이제 막바지여서 남쪽 마을 어디선가 꽃소식이 들려올 것만 같습니다. 봄이 멀지 않았습니다.

안녕하십니까, 서동용입니다! 요즘 하루하루 살아가기 어떠십니까? 일터에서, 가정에서 즐겁고 희망차게 지내고 계신가요? 먹고살기 힘들고 짜증도 많이 난다고 하시는데, 내일은 조금이라도 나아지겠지 위로하고 기대하며 살고 계시지는 않으신지요? 웃을 일 즐거운 일도 있지만, 그보다는 가슴 아프고 답답한 소식이 참 많이도 들려옵니다.

주머니는 자꾸 가벼워지는데 물가는 속절없이 오르고, 전셋값, 아파트값 때문에 집 걱정, 빚 걱정은 커져갑니다. 정부가 중산층·서민층에게 세금 더 걷기로 하는 바람에 월급쟁이들 지갑이 더 얇아졌습니다. 자식들 다 키워놨더니 취직은 안 되고, 어른은 어른대로 불안한 일자리에 앞으로 남은 노후를 어떻게 버텨야 할지 모르겠다는 분들이 많습니다. 오래전부터 경기가 안 좋아 장사하시는 분들 한숨도 늘었습니다. 가난을 견디지 못하고 세상을 등진 '송파 세 모녀' 같은 가슴 아픈 소식이 끊이지 않습니다.

세월호 참사의 충격과 슬픔은 아직도 그대로인데 대형사고, 흉폭한 사건이 자고 나면 뉴스를 도배합니다. 나와 내 가족은 무사할까?

생명과 안전을 위협받고 있는 대한민국 국민들은 오늘도 가슴을 졸입니다. 북한과 대치하고 있는 분단 현실로 인해 생기는 긴장과 불안도 여전합니다. 돈이면 다 된다는 생각으로 부정부패가 심해지고, 상식을 지키며 평범하게 사는 사람들이 억울하게 당하는 일도 잦아졌습니다.

"도대체 정부와 정치는 무엇 하나?" 이런 얘기를 많이들 하십니다. 국민의 고통과 불안을 덜고 희망을 주기는커녕 정부와 정치의 오만과 독선, 무능과 탐욕이 온 나라를 뒤흔들고 있습니다. 피땀으로 되찾고 소중히 일궈낸 민주주의의 길을 역주행하고 있습니다. 도대체 대한민국에 국가와 정부와 정치가 존재할 이유가 무엇인가? 답답한 마음에 누구한테든 한번 물어보고 싶습니다.

'이건 아니지 않은가!' 참 많은 생각이 들었습니다. 국민의 한 사람으로서, 가족에게는 남편과 아빠로서, 약자를 배려하고 정의를 바로잡는 일을 업으로 삼아온 변호사로서 여러 가지 생각을 했습니다.

오랫동안 고민한 끝에 결심했습니다. '불안하고 답답하고 가슴 아픈 세상을 바꾸는 데 서동용이 작은 밀알이 되어보자!' '억울한 사람 돕는 변호사로 살아온 서동용이 정의롭지 못한 대한민국 사회를 고치는 정치인으로 나서보자!'

제가 이런 결심을 하게 된 결정적인 동기는 세월호 참사였습니다. 눈에 넣어도 아프지 않을, 내 자식 같은, 그것도 300명이 넘는 아이들을 태운 배가 눈앞에서 가라앉는 모습을 보았습니다. 정부가 이 아이들을 한 명도 구하지 못하는 모습을 보았습니다. 정치가 세월호 참사의 진실을 규명해내지 못하는 현실을 참담한 심정으로 지켜보았습니다.

대한민국 국민이라면, 자식 가진 부모라면 누구라도 그러했듯이 저 역시 눈물을 참을 수 없었습니다. 분노를 견딜 수 없었습니다. '이건 아니다, 정말 이건 아니다, 바꿔야 한다! 그런데 서동용 네가 무엇을 어떻게 바꿀 수 있나?' 혼자 이 말을 무수히 삼켰습니다.

광장에 나가 촛불을 들어도 보고 며칠 밤을 술로 지새우기도 했습니다. 고심 끝에 결심했습니다. 정치를 바꾸는 것이 세상을 바꾸는 길이다, 그것이 가장 확실하고 제일 올바른 방법이다!

제가 대학을 졸업하고 노동운동을 하다 변호사의 길을 선택하게 된 변곡점이 된 사건은 1994년 성수대교 붕괴 참사였습니다. 김영삼 정권 시절, 사람이 아니라 돈만을 최고로 여겼던 정치와 정부, 그리고 한국 사회의 총체적 부패와 무능이 성수대교를 무너뜨렸습니다. 수많은 사람이 희생됐습니다. 그리고 꼭 20년 만에 똑같은 원인으로 세월호가 침몰했습니다.

정치가 바뀌어야 합니다. 정치가 바뀌면 무능하고 부패한 정부도 바꿀 수 있습니다. 정치와 정부가 바뀌면 한국 사회도 바뀝니다. 이렇게 허망하게 우리 아이들을 배 안에 가둬 죽게 하지 않을 수 있습니다. 우리 이웃이, 우리 국민이 가난 때문에 가족과 함께 목숨을 끊는 일은 막을 수 있습니다.

집값, 전셋값 때문에 서민들이 빚더미에 올라앉고, 아이들이 입시 지옥에 시달리고, 청년들이 취직을 못해 거리를 헤매고, 직장인이 하루아침에 회사에서 쫓겨나고, 비정규직이라는 이유로 차별받고, 수많은 자영업자가 돈벌이에 허덕이고, 퇴직자와 노인들이 빈곤과 고독에 내몰리도록 내버려두지 말아야 합니다.

부자와 가난한 자, 대기업과 중소기업의 격차가 너무 크게 벌어지지 않도록 하고, 같은 나라 국민들이 호남 출신이니 영남 출신이니 지역주의로 싸우지 않도록 하고, 정부가 무능하고 부패하지 않도록 하고, 정치가 여야와 계파 간 싸우지 않도록 하고, 남북한이 긴장과 위기와 파국이 아닌 평화와 공동 번영의 길로 가도록 바꿔야 합니다. 그래야 대한민국 국민들이 희망을 찾을 수 있습니다. 그래야 대한민국이 지속 가능한 공동체 사회로 자리 잡을 수 있습니다.

깨어 있는 시민으로, 성실하고 정의로운 변호사로 제 일을 다 하면 되는데 왜 굳이 정치판에 뛰어들려 하느냐는 분도 계십니다. 그럴 수 있습니다. 저는 그동안 인권 변호사로 민주사회를 위한 변호사회(민변)에서 진심과 열정을 품고 활동했습니다.

세월호 참사가 터지고 난 뒤에는 촛불집회에도 열심히 나갔습니다. 하지만 '2%'가 부족했습니다. 더 채워지지 않는 무엇이 있었습니다.

촛불을 들고 단식투쟁을 하는 것도 큰 의미가 있지만, 국회의원이 되어 세월호 특별법을 만드는 협상에서 제 역할을 다한다면 세월호 유가족에게 더 큰 힘이 되고 더 의미 있는 결과를 만들어낼 수 있다고 생각합니다.

정치는 시민들의 촛불과 단식투쟁이 다 하지 못하는 더 큰일을 해낼 수 있습니다. 법을 만드는 국회의원은 법을 다루는 변호사보다 더 많은 일을 할 수 있는 책임과 권한을 갖고 있습니다.

"왜 서동용이냐? 네가 하면 정치 잘 하겠느냐?" 이렇게 묻는 분도 계십니다. 많은 훌륭한 정치 선배들이 계십니다. 저보다 더 잘할 수 있는 분도 많습니다. 저는 그런 분들을 존경합니다. 하지만 그렇지 못한 정치인들도 있습니다. 지역과 정당에 안주해 자리만 차지하고 있는 정치인들이 있습니다. 패거리, 당파, 사리사욕, 지역주의, 나태와 부패와 오만과 불통에서 벗어나지 못한 정치인들이 많습니다. 이런 정치인들은 국민의 눈물을 닦아주지도 고통을 덜어줄 수 없습니다. 세상을 바꾸지 못합니다. 이런 정치인 때문에 한국 정치가 욕을 먹고 있습니다. 저는 그런 정치를 하지 않겠습니다. 진정성 있는 정치, 국민에게 감동을 주는 정치를 하겠습니다.

'직업으로서 국회의원'은 저의 꿈이 아닙니다. 국회의원을 '직업'으로 생각한다면, 지금 굳이 그렇게 할 이유가 없습니다. 직업으로는 제가 지금 하고 있는 변호사가 국회의원보다 나쁘지 않습니다. 투자

대비 효율 면에서도 그렇습니다.

출세하려고 국회의원이 되겠다는 게 아니라는 말씀입니다. 출세라는 '사적' 욕망보다 제 머리와 가슴속에는 더 큰 욕망이 있습니다. '공적' 욕망입니다. 정치란 권력을 통해 국민의 행복과 복리를 증진시키는 것을 목적으로 하는 행위라고 합니다. 저는 개인적 출세를 위한 직업으로서 국회의원이 아니라 국민에게 감동과 행복을 주는 정치인으로서 국회의원이 되고 싶다는 '공적 욕망'이 있습니다.

오늘 이렇게 첫 편지를 쓰는 동안 제 가슴에는 큰 파도가 일렁이는 느낌이 듭니다. 큰일을 제대로 해보겠다고 말씀드리고 약속하는 글이니 무거운 책임감이 느껴집니다. 사람 나이 50이면 지천명(知天命)이라더니, 하늘이 제게 주신 소명을 이제야 찾은 것 같아 한편으론 다행이고 그래서 자신감도 더 생깁니다.

얼굴 뵙고 인사부터 드려야 하는데, 우선 글로 찾아뵙는 점 너그러이 용서해주시길 부탁드립니다. 앞으로 저를 아껴주시는 좋은 분들께 제 생각과 희망을 담은 편지를 보내드리려 합니다. 제가 잘못 생각하고 있다면 비판과 질책을 주십시오. 잘하고 있으면 칭찬과 격려도 아끼지 말아주십시오.

쌀쌀한 날씨에 건강 관리 잘 하시고, 또 뵙겠습니다.

감사합니다.

서동용 올림

마로현 편지 제2호

안녕하십니까? 서동용입니다.

며칠 전 첫 번째 「마로현 편지」 보내드리고 혼자 맘이 설렜습니다. 제가 정치를 하겠다는 편지에 깜짝 놀란 분들이 연락을 참 많이 주셨습니다. 정치 그거 쉽지 않을 텐데 무엇 하러 힘든 길을 가려느냐고 걱정하시는 분들도 계셨고, 네가 잘 좀 해서 대한민국 정치 한번 바꿔보라는 응원과 격려도 많았습니다.

모두 저를 아껴주시고 대한민국 정치와 미래를 걱정해주시는 분들이셨습니다. 고맙습니다. 변호사의 인생을 걷다 이제 정치인의 길을 가려고 제가 그 출발선에 섰습니다.

세상일이란 게 하고 싶다고 해서 다 되는 것도 아니고, 하기 싫다고 안 할 수 있는 것도 아닙니다. 하지만 해야 할 일은 해야 한다고 믿고 살아왔습니다. 하고 싶은 일이 있고 또 그 일을 해야 한다면, 저는 어떤 어려움이 있더라도 그 일을 할 것입니다. 제 소신입니다.

저는 꼭 하고 싶은 일 그리고 해야 할 일이 있습니다. 그 일을 정치를 통해서 이뤄내겠습니다.

첫째, '가치의 정치'를 실현하겠습니다.

대한민국에는 돈과 권력을 좇는 정치인이 아니라 '좋은 가치'를 좇는 정치인이 필요합니다. 국민들은 이제 돈과 권력만을 추구하는 정치에 질렸습니다. 돈·권력만 좇으며 온갖 비리를 저지르고도 선거 때만 되면 국민들에게 손을 벌리는 정치인들에게는 더 기대할 게 없습니다. 세월호 참사는 돈이면 뭐든지 할 수 있다는 이런 구태 의 정치가 낳은 비극 아닙니까? 이번 국무총리 인사 청문회를 비롯 해 고위 공직자들의 인사철마다 온갖 추악하고 부끄러운 비리와 부 패가 세상에 드러나는 것도 바로 이런 이유 아닙니까?

사람이 살아가는 세상에 돈도 필요하지만 돈보다 더 중요한 것이 있습니다. '가치'입니다. 생명의 가치, 배려의 가치, 신뢰와 존중의 가치, 인권의 가치, 평화와 평등의 가치, 화해와 소통의 가치, 더불 어 사는 공동체의 가치, 민주주의의 가치……. 이런 가치는 돈의 가 치보다 백배천배 소중합니다. 사람을 사람답게 만들고, 대한민국 을 더는 실망이 아닌 희망의 지속 가능 사회로 만들어나가는 게 바 로 '가치'입니다.

'가치'가 무너지면 행복도, 안전도, 경제도 흔들립니다. 1998년 우리 나라가 IMF사태로 국가 부도를 맞은 것도 따지고 보면 '가치'보다는 돈만 좇는 재벌 기업과 금융, 정치, 정부의 후진적 사회 시스템 탓 이었습니다. 성수대교가 무너지고 세월호가 침몰해 수많은 국민이 목숨을 잃은 것도 마찬가지 이유입니다.

공정하고 투명한 사회 시스템과 정부에 대한 신뢰라는 '가치'가 없 으면 경제 성장도 어렵다는 게 경제학자들의 하나같은 충고입니다. 선진국 국민들이 일상을 안전하고 윤택하게 살아갈 수 있는 것은 이미 이런 '가치'들이 지켜지고 있기 때문입니다. 저는 정치를 통해 대한민국에 이런 '가치'들을 하나하나 회복시키고 실현해나가겠습니다.

출세욕으로 국회의원 해보겠다는 것은 아닙니다. 직업으로서 돈이나 출세라면 지금의 변호사가 국회의원보다 그리 나쁘지 않습니다. 정치를 통해 제가 해야 할 일, 이루고 싶은 가치를 실현하겠습니다.

둘째, '가치의 정치'를 통해 대한민국 경제도 바꾸겠습니다.

우리 경제는 늘 위기라고 합니다. IMF사태 이후에도 크고 작은 위기가 늘 따라다닙니다. 2015년 지금도 우리 경제는 위기라고 합니다. 왜 늘 위기일까요? 바로 경제의 '체질' 때문입니다. 성장만 외쳐온 정부와 기업 때문입니다.

우리나라 경제는 더는 'GDP'(국내총생산)로만 평가해서는 안 됩니다. GDP가 아무리 커도 그것이 국민들의 행복을 보여주지도, 지속가능한 경제를 보장하지도 않습니다. 과도한 GDP 성장(경제 성장)은 오히려 거품을 만들고 거품 경제는 경기 침체를 불러와 중산층과 서민들만 고생하게 됩니다. 정치가 이런 경제를 바꿔나가야 합니다.

경제 성장을 이끄는 것은 기업과 노동자이지만, 경제가 잘 굴러가도록 법과 제도를 만드는 것은 정치입니다. 한국 경제는 이제 과도한 수출 주도형의 '성장 중심 경제'가 아니라 튼튼한 내수가 뒷받침해주는 안정된 경제로 바꾸어야 합니다. 그래야 흔들리지 않습니다. 만년 위기에서 벗어날 수 있습니다.

1인당 국민소득 2만 달러 이상인 대부분의 선진국 경제가 바로 이런 경제입니다. 우리나라는 2007년에 1인당 국민소득이 2만 달러가 넘었지만 여전히 (고)성장만을 좇는 성장 중심 경제를 따라가고 있습니다. 이런 경제로는 위기 탈출은커녕 지속 가능한 성장을 이룰 수 없습니다.

저는 한국 경제가 성장도 하고 그 결실이 대기업만이 아니라 국민 모두에게 돌아가고 이를 통해 다시 내수가 튼튼히 뒷받침되는 '선순환 경제'를 만들어가야 한다고 생각합니다.

자본과 노동, 정규직과 비정규직, 대기업과 중소기업이 함께 혜택을 나누고 누리는 경제, 수출과 내수가 함께 성장하는 경제, 제조업과 서비스업이 고루 발전해 좋은 일자리를 더 많이 만들어내는 경제, 좋은 일자리 창출로 국민들의 소득이 더 많이 늘어나는 경제가 되도록 하겠습니다. 이런 경제가 되도록 법과 제도를 만드는 그런 정치인이 되겠습니다.

셋째, 남북한의 평화가 경제도 살립니다.

남북이 군사적 대치 중인 한반도에서 평화란 단지 군사·외교·국제 정치 영역의 문제만이 아닙니다. '경제의 문제'입니다. 평화는 남북 간의 긴장 완화와 전쟁이 벌어지지 않는 외교 안보상 또는 정서상의 상태라는 점에서도 의미가 크지만, 우리나라의 지속 가능한 경제와 경쟁력 있는 성장 동력을 위해서도 매우 중요한 문제입니다.

한국 경제는 지금 성장 동력 저하, 양극화, 저출산·고령화, 일자리 부족, 장기 침체 등 어렵고도 수많은 난제와 맞닥뜨려 있습니다. 남북 간의 평화·교류 협력 그리고 나아가 통일의 과정은 이런 난제를 한꺼번에 풀어줄 돌파구가 될 것이라는 데 국내외 수많은 전문가의 의견이 모이고 있습니다.

남과 북이 손잡고 경제특구를 만들고, 남쪽의 자본과 기술 그리고 북쪽의 풍부한 자원과 노동력이 결합한다면 우리 경제는 새로운 차원으로 도약할 수 있습니다. 북한 자체가 우리에게 큰 시장이기도 합니다.

남북한이 평화를 지켜내며 경제적 교류 협력을 넓혀간다면, 아마 우리나라 경제는 지금보다 훨씬 높은 성장을 이뤄내고 경기가 빠른 시간에 회복될 것입니다. 주변 여러 나라가 부러워할 그런 경제를 이뤄낼 것입니다.

남북 관계를 자꾸 악화시키고 종북몰이로 정치적 이득을 얻으려는 짓을 해서는 안 됩니다. 한반도에 평화를 정착시키고 남과 북이 가진 자원, 노동력, 기술을 나누고 활용해 이를 경제 발전과 번영을 위해 활용해야 합니다. 평화와 남북 교류는 그래서 중요합니다. 정치가 이 일을 해야 합니다. 이런 일을 해낼 정치인이 필요합니다.

제대로 된 정치를 통해서, 우리 아이들이 제대로 된 나라에서 행복하고 풍요롭게 살 수 있는 세상을 만들어보겠습니다. 고향에 계신 어르신들이 좀 더 넉넉하고 존경도 받으면서 외롭지 않게 사는 나라, 우리 가족과 이웃들이 안전하게 살 수 있는 그런 나라를 만들어나가겠습니다.

제가 정치를 하면 무엇을 하려는지 설명하다 보니 편지가 길어졌습니다. 앞으로 차근차근 더 많이 말씀드리고 이야기 나누겠습니다. 잘못된 생각이 있으면 꾸짖어주시고, 더 좋은 생각이 있으면 거리낌 없이 전해주십시오. 귀담아듣겠습니다.

또 인사드리겠습니다. 건강하십시오.

서동용 올림

결코 잊으면
안 될 일

한시라도 잊지 말자

———

내 기억 속에 그리고 한국인인 우리 모두의 기억 속에 절대 지워지지 않으며, 지워서도 안 될 일이 하나 있다. 2014년 4월 16일 세월호의 침몰이다. 우리가 가치를 잃고 일상에 표류하는 동안 꽃다운 청춘들이 차디찬 바닷물 속으로 사라져갔다. 이 일은 우리 모두에게 책임이 있다. 그것을 늘 기억해야 할 것이다.

그리고 세월호 침몰의 진상을 규명하는 과정에서 보수 정치권이 자신을 보호하고자 행했던 참람한 작태, 사람이라면 감히 할 수 없는 끔찍한 언행을 일삼던 몇몇 인사들의 비인간적 태도를 기억해야 한다. 이들이 우리 사회의 권력과 영향력을 갖는다면 어떤 세상을 만들겠는가? 경계하고 또 경계해야 한다.

가슴을 찢는 비통함

——

2014년 4월 16일.

따스한 봄기운이 대지에 생명력을 불어넣어야 할 아름다운 봄날, 남쪽 바다로부터 절망의 삭풍이 불어닥쳤다. 가족을 잃은 사람들의 울부짖음이 온 강토를 뒤덮었다. 그리고 그 슬픔은 5년이 훨씬 더 지난 지금까지도 서러운 그늘을 드리우고 있다. 사고 이후의 시간은 아픔 위에 또 다른 아픔을 더한 날들인지도 모른다.

그날 아침도 여느 날과 다르지 않았다. 일터와 학교로 분주한 일상의 발걸음을 옮겼던 우리는 눈앞에 다가온 비극을 전혀 눈치채지 못했다. 나도 그랬다. 사무실에 출근하여 컴퓨터를 켰을 때 인터넷 포털에 대형 여객선이 전남 해안에 표류하고 있다는 속보가 떴다. 아무런 불상사가 없기를 바라는 마음으로 진행 상황을 지켜보았다. 곧 사고가 난 위치가 소개되었고 기울기 시작한 선체의 모습이 보였다.

전남 진도군 조도면 맹골도와 거차도 사이의 사고 지역은 조류가 센 곳이지만 출동이 불가능한 먼바다는 아니다. 항로에 장해물이 거의 없다고 하니 해경이 곧 도착해서 무사히 구조 작업을 할 수 있으리라 보았다. 여러 방송사가 현장에 도착하여 기울기 시작한 배의 모습을 실시간 영상으로 보내고 있는 터라 구조는 시간문제로 보였다.

얼마 지나지 않아 탑승객 전원을 무사히 구조했다는 속보를 접할 수 있었다. '그러면 그렇지.' 참으로 다행스러운 마음이었다. 나는 편안하게 업무로 관심을 옮길 수 있었다.

그러나 몇 시간도 지나지 않아 차 안에서 들은 라디오 방송은 그게 아니었다. 구조된 인원은 얼마 되지 않았던 데다가 그 숫자도 계속 오락가락했다.

그날도 그다음 날도 방송 화면을 통해 점점 기울며 침몰하는 배의 모습을 하릴없이 바라볼 뿐이었다. 구조 상황과 사고 원인, 긴급 대책에 관한 온갖 보도가 쏟아졌지만 애타게 바라던 반가운 소식은 좀처럼 들리지 않았다.

실낱같은 희망이 점점 희미해질 무렵부터 사고 선박의 해운회사와 그 소유주에 관한 보도가 집중적으로 나오기 시작했다. 더 큰 책임이 있는 정부 당국이 그 뒤로 숨어 실책을 은폐하고 있다는 느낌을 지울 수 없었다. 사고 현장에 나타난 대통령과 고위 관료들은 그 와중에도 의전을 챙겼다.

위기 상황을 진두지휘해야 할 대통령의 당시 행적이 석연치 않은 데다 머리를 매만지느라 사고 수습을 위한 중요한 회의를 미루었다는 사실이 나중에 밝혀졌을 때 참기 힘든 분노와 슬픔이 엄습했다.

대통령과 관료들은 자신들이 책임질 사람이 아니라 참관인인 것처럼 멀찍이 떨어져 행동했다. 그렇게 책임을 회피하고 우왕좌왕하는 사이 희망의 불꽃은 완전히 사그라지고 말았다.

나는 세월호 사건이 대한민국의 침몰을 보여주는 상징이라고 생각한다. 사고와 침몰, 구조, 그리고 그 이후에 이어졌던 진상 조사 과정에서 우리의 부끄러운 민낯이 고스란히 드러나고 말았다. 탐욕스러운 해운회사 사주는 최소한의 안전장치 없이 승객의 목숨을 건 도박과도 같은 운항을 거듭했지만, 이를 통제하고 감시해야 할 공적 기능은 전혀 작동하지 않았다.

긴급 구조를 책임져야 할 사람들은 윗사람 눈치를 보기에 급급했다. 한 사람의 생명을 살리는 것보다 윗사람의 심기를 살피는데, 보고하고 지시를 받는 절차에 더 관심을 두었다.

절체절명의 순간 마땅히 발휘해야 할 리더십을 보이는 고위 공직자는 아무도 없었다. 나는 대통령이 현장을 방문해 말 안 듣는 공무원을 잘라버리겠다고 엄포를 놓은 장면을 보고 큰일 났다는 불안감을 지울 수 없었다. 내가 모두 책임질 테니 목숨을 걸라고 독려함으로써 적극성을 불어넣어주어도 부족할 터인데 공무원들이 몸을 사리게 만들었기 때문이다.

타락한 양심들

———

세월호 사고 이후 나타난 힘 있는 사람들의 작태는 소름이 돋을 정도였다. 사고 발생과 구조 실패에 대해 뼈아픈 자책을 해야 할 사람들이 "교통사고", "유족의 과도한 요구" 등을 운운하고 진상 조사를 방해했다. 인면수심이란 말이 떠올랐다.

많은 이가 그랬듯이 나 역시 한없이 슬프고 무기력했다. 내 자식 또래의 꽃다운 청춘들이 피지도 못하고 차가운 바다에 갇히는 장면을 텔레비전 생중계로 무력하게 바라보며 발만 동동 굴러야 했다. 국민을 지켜야 할 정부가 한 사람의 생명도 구해내지 못하는 광경을 그대로 바라만 보았다. 정치권이 세월호 참사의 진실을 규명해내지 못하는 현실을 참담한 심정으로 지켜볼 뿐이었다.

촛불집회에 열심히 나갔다. 유가족들이 주장하는 바와 같이 세월호 참사의 진상을 철저히 규명하고 우리 사회의 안전과 행복을 갉아먹는 부패를 처단함으로써 두 번째 세월호 침몰 사고가 일어나지 않도록 하고자 목소리를 높였다. 하지만 그것만으로는 부족하다는 생각이 들었다. 근본적 변화를 이루기에는 역부족이었다.

유가족들이 가슴을 찢는 고통을 겪고 온 국민이 침통에 빠지는 엄청난 대가를 치렀건만 달라진 게 없었다. 2015년 12월에 제1차 세월호 참사 특별조사위원회 청문회, 2016년 3월에 제2차 청문회,

같은 해 12월에 제3차 청문회가 열렸다. 이때마다 아직 치료받지 못해 그대로인 생채기가 다시 짓이겨지는 광경을 보아야 했다. "아이들이 철이 없어서 구조하지 못했다"거나 "기억나지 않는다"는 증인들의 목소리가 귓가에 맹맹하다. 하지만 이런 목불인견은 이미 예상된 것이었다.

사고 예방과 구조에서 무능과 혼란의 극치를 보여준 정부는 세월호 특별조사위원회를 사실상 무력화하는 시행령 안을 발표했었다. 조사 대상인 해양수산부 공무원을 기획조정실장으로 앉히고, 인력과 예산을 대폭 축소했다. 조사 범위도 세월호 참사 원인과 정부 구조에 대한 폭넓은 조사가 아니라 '세월호 참사의 원인 규명에 관한 정부 조사 결과의 분석 및 조사'로 제한했다. 특별법의 내용을 구체화하는 데 그쳐야 할 시행령이 특별법을 사실상 무력화해 버린 것이다.

게다가 참사 원인과 구조에 대한 조사 결과가 나와야 배·보상 지급 주체와 내역이 정해질 텐데 정부는 조사도 하기 전에 서둘러 배·보상안을 발표했다. 거기에는 정부와 관련 없는 보험금과 국민 성금 지급 예상액도 포함됐다. 파렴치하기 그지없는 짓이었다. 이 때문에 보상과 관련된 유언비어가 퍼졌다. 정부가 이를 부추긴 셈이다.

사고 당시 구조가 이뤄지지 않고 있음에도 "사상 최대 규모의 구조작전이 벌어지고 있다"는 구조 당국의 발표를 앵무새처럼 반복하였던 언론들은 유가족들의 호소는 외면한 채 8억이니, 11억이니 하며 보상 금액만 선정적으로 보도했다.

인두겁을 쓴 짐승과 같은 몇몇 누리꾼들은 기다리기라도 했다는 듯이 배·보상금을 '로또'에 견주며 악의적 댓글을 달았다. 가슴 속에 대상을 알 수 없는 분노가 응어리져 있던 이들이 그 분노를 자신들과 같은 사회적 약자에 투사한 것이다.

무능과 부패의 정치
———

세월호 사고 이후 정치권의 행태는 눈 뜨고 못 볼 꼴이었다. 세월호 참사는 안전한 나라를 만드는 계기로 삼아야 할 사안임에도 정치적 이익만 재다가 유가족들의 요구를 거부한 채 차일피일했고 마지못해 특별법을 통과시켰다. 특히 당시 새누리당 의원들은 '교통사고' 'AI(조류 인플루엔자)' '노숙자' 등 경쟁하듯 막말을 쏟아내며 이미 찢긴 유가족의 가슴에 또 한 번 비수를 꽂은 바 있다. 세월호 특별위원회를 '세금 도둑'이라고 비난한 한 국회의원을 보며 과연 저 사람들이 인간의 정서와 사고 기능을 가지고는 있는지 의심스러운 생각마저 들었다.

세월호 참사와 유족들을 대상으로 한 막말은 시간이 지날수록 정도가 더 심해졌다. 참사 5주기를 앞둔 2019년 4월 15일 자유한국당 소속 국회의원 차명진은 자신의 페이스북에 "자식의 죽음에 대한 세간의 동병상련을 회 쳐 먹고, 찜 쪄 먹고, 그것도 모자라 뼈까지 발라먹고 진짜 징하게 해처먹는다", "좌빨들한테 세뇌당해서 그런지 전혀 상관없는 남 탓으로 돌려 자기 죄의식을 털어버리려는 마녀사냥 기법을 발휘하고 있다"고 썼다.

나는 세월호 참사와 그 이후 이어진 참담한 상황을 겪으며 '내가 무엇을 할 수 있을까? 그리고 무엇을 해야 할까?'에 대한 깊은 고민을 했다.

그리고 답을 찾았다. 그것은 정치였다.

한 사람의 시민으로서, 부모로서, 기성세대로서, 그리고 변호사라는 전문 직업인으로서 할 일이 분명히 존재하며 그 일도 큰 의미가 있다. 하지만 여기에 반드시 정치의 영역이 덧붙여야 진정한 개혁이 이루어질 수 있다고 보았다. 만약 정치적 이해관계에 얽매이지 않고 진정으로 유가족을 돌보며 철저히 진상을 조사하여 안전한 대한민국을 만드는 법적·제도적 정비에 헌신한 국회의원 몇 사람이 더 있었다면 상황은 많이 달라져 있을 것이다. 그 올바른 국회의원 중 한 사람이 되는 게 지금 내가 할 수 있는 최선이 아닐까 생각을 거듭해보았다.

한국 정치가 이대로 머물면 세월호 참사와 같은 비참한 사태가

두 번, 세 번 그리고 수없이 다시 일어나는 것을 무력하게 지켜보아야 할 것이다. 그때마다 슬픔과 무력감에 젖을 수는 없다. 한국 정치를 바꾸어야 한다. 그래야 우리 아이들을, 형제와 이웃과 부모님들을 지킬 수 있다. 불행을 딛고 일어나 행복해지는 일도 정치를 바꾸어야 가능하다.

세월호 참사를 잊으면 안 된다. 그 불행을 이기는 일은 부패하고 무책임하며 무능한 정치를 근본적으로 바꾸는 것이다. 나는 그 길을 향해 나아가고자 한다.

노동이 존중받는 세상

젊은 노동자의 죽음

———

2016년 5월 28일, 서울시 지하철 2호선 구의역 내선 순환 승강장에서 스크린도어를 혼자 수리하던 스무 살의 외주업체 노동자가 열차에 치여 아까운 목숨을 잃었다.

안전 수칙은 스크린도어 수리를 할 때 2인 1조로 작업하도록 규정하고 있었다. 하지만 회사는 숨 쉴 틈 없이 촘촘한 작업 일정을 강요하여 젊은 노동자를 죽음으로 내몰았다.

그의 소지품 중에서 컵라면이 나와 제때 식사조차 할 수 없었던 참혹한 현실을 드러내었다. 이 사건으로 노동자들의 작업 안전에 대한 사회적 관심이 이는 듯 보였다. 그러나 노동 현장에서는 의미 있는 변화가 일어나지 않았다.

2018년 12월 10일, 다른 사람들이 곤히 잠들었거나 휴식을 취하고 있던 늦은 밤이었다. 태안화력발전소에서 일하던 20대 초반의 비정규직 노동자 김용균 씨는 석탄 이송 컨베이어벨트에 끼어 짧은 생애를 마감해야 했다. 그의 유품 중에서도 컵라면이 나왔다. 그리고 고장 난 손전등과 건전지는 그의 작업 환경이 어땠는지를 여실히 보여주었다.

2018년 한 해 동안 산업재해 사고로 971명이 소중한 목숨을 잃었다. 같은 기간 산업재해 질병으로 사망한 사람도 1,171명이나 된다. 한 해 동안 2,142명의 고귀한 생명이 산업재해로 사라지는 것이 세계 10위권의 경제 대국이라는 대한민국의 실상이다.

더 비통한 일은 산업재해 사고가 줄어들지 않고 있다는 것이다. 우리나라가 OECD 국가 중 산업재해 사고 사망 1위라는 기사에는 무감할 정도이다. 소설가 김훈 선생이 "돈 많고 권세 높은 집 도련님들이 일하다 죽어나갔다면 이 문제도 진즉 해결되었을 것"이라고 자조 섞인 한탄을 했을 정도이다.

산업재해 예방을 위한 조치

——

김용균 씨 사고 이후 산업안전보건법 개정안이 국회를 통과했다. 원진레이온 사고를 계기로 개정했던 1990년 이후 28년 만이다. 그리고 2019년 1월부터 개정법이 시행되었다. 하지만 이 법은 유예와 예외 조항으로 가득하다.

개정된 산업안전보건법이 노동자들을 위험으로부터 보호하는 역할을 제대로 할 수 있을지 회의가 생긴다. 기업이 안전 관리 의무를 다하지 않아 노동자가 사망해도 벌금형이나 집행유예 같은 솜방망이 처벌만 받기 때문이다.

나는 고 노회찬 의원이 대표발의한 중대 재해 기업 처벌 법안이 산업재해를 예방할 강력한 조치라 생각한다. 이 법안은 사업주나 법인·기관의 경영책임자가 산업안전보건법을 어기거나 안전·보건 조치를 위반해 산재 사망 사고가 일어나면 3년 이상의 유기징역이나 5억 원 이하의 벌금을 내리는 내용을 담고 있다. 영국의 산업재해 사망률을 획기적으로 줄인 '기업 과실치사 및 살인법'을 모델로 삼았다. 그러나 이 법은 국회에서 장기 계류 중이다. 사실은 통과조차 요원한 상황이다.

정치가 약한 사람 편에 서서 균형을 잡는 제 기능을 하지 못하기 때문에 우리의 부모, 자녀, 형제자매, 남편, 아내가 일터에서 안전하게 일할 수 있게 하는 최소한의 법률적 장치가 가동하지 못하는 서러운 시대이다.

노동이 존중받지 못하는 사회

———

노동자가 사망이나 부상, 질병의 위험 없이 안전하게 일할 수 있는 환경을 조성하는 것은 기업의 기초적인 의무이다. 그렇게 할 수 없는 기업은 존재 가치가 없다. 그리고 정부는 기업들이 노동자 안전에 우선순위를 두도록 견제하고 감시해야 한다. 그렇지 않은 부도덕한 기업들은 규제하고 그 사업주나 경영자를 처벌하는 게 마땅하다. 하지만 이런 기본이 이루어지지 않고 있다. 정치가 관심을 두지 않기 때문이다.

최저임금 인상, 법정 근무시간 단축 등을 놓고 사회적인 논쟁이 불붙었다. 이런 제도 변화로 기업들이 망하고 한국 경제가 무너질 듯 호들갑을 떠는 사람도 많다. 기업주가 이런 주장을 하는 것은 어찌 보면 당연하다. 이해당사자로서 자기 이익을 실현하기 위해 정치적 주장을 펼치는 것은 자연스러운 일이다. 문제는 정치다. 정치가 가뜩이나 힘이 센 기업 편에 서서 그들의 논리를 그대로 옮기면 균형이 무너지기 때문이다.

노동자의 권익이 훼손되면 그 사회는 발전할 수 없다. 기업들이 부르짖는 경제 활성화 역시 노동자들의 삶이 나아지지 않으면 절대 이루어지지 않는다. 노동자들은 회사에서는 임금을 받는 종업원이지만 그와 동시에 제품과 서비스를 사는 소비자이기도 하다.

소비자의 주머니를 묶어놓은 채 내수가 커지기를 기다리는 것은 어불성설이다.

노동자의 현실을 개선하는 것은 한국 사회의 고질적 문제인 교육과 입시를 푸는 해답이 된다. 명문 대학 진학에 모든 것을 거는 이유는 좋은 직업을 갖기 위해서이다. 몇몇 직장만이 비교적 높은 소득과 안전한 환경, 적합한 노동시간과 휴가, 각종 복지 혜택과 안정성을 제공한다면 이곳에 취업하는 게 학생들의 목표가 될 수밖에 없다. 당연히 입시가 과열되고 교육이 입시에 끌려다니며 제 역할을 하지 못하게 된다.

노동이 존중받으며 대부분의 직장에서 노동자가 적절한 임금을 받고 장시간 근로에 시달리지 않고 휴가를 누리며 안전한 환경에서 일할 수 있게 된다면 굳이 입시 전쟁에 뛰어들지 않아도 된다.

노동 존중은 보수 정치인들이 말하는 사회주의적 발상이 아니다. 그것은 우리 사회가 함께 잘살고 행복해지는 지름길이다. 정치가 이 문제에 깊은 관심을 두고 해법을 찾는 데 주력해야 한다.

《경향신문》은 2019년 11월 21일 발행한 신문 1면을 파격적으로 편집했다. "오늘도 3명이 퇴근하지 못했다"는 문구를 가운데 배치하고 2018년 1월 1일부터 2019년 9월 말까지 고용노동부에 보고된 중대 재해 중 주요 5대 사고로 사망한 노동자 1,200명의 이름으로 지면을 채웠다.

경향신문

구독신청 080-023-8282

1946년 10월 6일 창간 제23081호 40판

kyunghyang.com

2019년 11월 21일 목요일

오늘도 3명이

퇴근하지 못했다

일러스트 | 성낙훈 기자

지면안내 >>>> 미국 '방위비 분담금 협상 결렬' 속내는? 4면 · 황교안의 단식 - 국회 협상정국 또 환풍 5면 · 청 세월호 문건 파쇄 '의혹' 사단장 수사 8면 · "충주 고구려비는 제2의 광개토대왕비" 13면이 신문을 받아 들고 가슴이 시리듯 아팠다. 내가 이 안타까운 희생을 딛고 서 있음에도 일상에 묻혀 자주 그것을 망각하고 있음을 깊이 자책했다. 이들에게 경의를 보내며 같은 희생이 반복되지 않는 사회를 만드는 데 전력할 것을 다짐한다.

끊임없는
사유와 성찰

독서는 나의 힘

———

나는 학교 시절을 통틀어 최상위권을 차지한 적이 없다. 그래서 2등 콤플렉스 같은 게 생기기도 했다. 항상 똑똑한 사람들 앞에서 주눅이 들고 내 의견을 자신 있게 내세우지 못하는 경향도 있었다. 중고등학교 시절은 물론 학생운동을 할 때도 그랬다. 하지만 사법연수원에서는 달랐다.

우리나라에서 가장 공부를 잘한다는 사람들 그것도 생생한 젊은 두뇌가 모인 곳에서 콤플렉스를 느끼지 않았다. 오히려 그들이 나에게 학습 내용에 대해 질문했으며 나는 당당하게 내 생각을 들려주곤 했다. 사법연수원 수료 후에도 소위 똑똑하고 잘나가는 사람의 이야기를 비판적 안목으로 수용할 수 있는 자신감과 여유가 생겼다. 나에게 어떻게 이런 변화가 일어났는지 궁금했다.

광양서초, 광양중, 순천고, 연세대를 함께 다닌 나의 오랜 친구이며 독일에서 철학을 공부한 연세대학교 정대성 교수는 나에게 그 이유를 간단히 설명해주었다. 내가 대학 시절 고민을 거듭하며 해답을 찾는 과정에서 엄선해 읽은 500여 권의 책이 비결이라고 한다. 간절한 마음으로 집중력을 발휘해 독서하는 동안 지식이 쌓이고 논리적인 역량으로 축적되었으며 그것이 경험과 합쳐지면서 똑똑해졌다는 것이다. 그 말을 들은 후 더욱 독서에 열중하게 되었다. 특히 인문학적 감수성을 기르는 책 읽기에 집중하고 있다.

나는 글을 깨치고 초등학교에 다니던 시절부터 책 읽기를 즐겼다. 중고등학교 시절에는 광양에 한두 곳밖에 없는 서점 문턱이 닳도록 드나들며 독서에 열중했다. 돌이켜 생각하면 이 모든 독서는 내가 인생을 사는 데 이정표를 제시했다. 실용적으로는 논리적 사고력을 중요하게 평가하는 사법시험을 통과하는 데도 도움을 주었으리라 본다.

공부의 즐거움

서울 서초동 법원 앞에서 변호사 사무실을 운영할 때는 집이 과천이었다. 2호선 서초역에서 지하철을 타고 사당역에서 내려 과천 가는 버스를 타는 것이 가장 빠르고 편한 출퇴근길이었다. 하지만 나는 사당역에서 버스를 타지 않았다. 더 먼 경로인 4호선 지하철을 타고 정부과천청사역까지 가곤 했다. 이유는 한 가지, 책을 읽기 위해서였다.

아무래도 버스에서는 책을 읽기 사납다. 대중교통을 이용하는 유일한 목적이 책을 읽기 위한 것인데, 시간이 덜 걸리고 빠르다고 해서 버스를 탈 이유가 없었던 것이다.

그 무렵 내 독서 관심사는 일본과 중국의 근현대사였다. 중국 현대사를 볼 때는 『마오의 중국과 그 이후 (상·하)』, 『천안문』, 『중국지 (1·2권)』, 『중국인 이야기 (1~7권)』 등을 이어서 읽었다.

이렇게 같은 듯 다른 이야기를 다양한 작가의 시각으로 살펴보면 사고가 입체화되는 느낌을 얻을 수 있다. 다양한 주제를 설핏 훑고 넘어가는 것이 아니라 특히 관심 있는 분야의 책을 여러 권 집중해서 봄으로써 지식이 축적될 뿐 아니라 사고체계가 정립되는 효과를 얻는다.

광양으로 변호사 사무실을 옮긴 후에는 중고등학생들에게 나의 이런 독서법을 '전략적 책 읽기'라는 이름으로 소개한 적도 있다.

어느 날 청와대 근처에 있는 '철학아카데미'에서 '바이더피플'이라는 모임을 하고 술을 한잔한 상태에서 산본에 사는 이연도 교수와

120

함께 4호선 지하철을 타고 과천까지 가게 되었다. 바이더피플은 소장 철학자들 중심으로 만들었는데 정치적 논의와 교육 플랫폼을 지향하는 모임이었다. 나는 친구인 정대성 교수의 배려로 이 모임의 상임위원으로 참여하게 되었다. 그리고 이연도 교수를 만나게 되었다. 순천고 후배인 그는 베이징대학에서 중국 근현대 철학을 전공하여 박사학위를 받았다. 지금 중앙대학교 교수로 재직 중이다.

중국 정치의 흐름에 대해 궁금해하던 나에게 이연도 교수는 엄청난 해박함을 뽐내며 이상 사회 건설을 지향하는 중국의 정치 이념, 시진핑과 후진타오 정치의 철학적 기반 등을 이야기해주었다. 나는 지적 갈증이 해갈되는 기쁨을 느끼며 그의 이야기에 열중했는데, 금방 내릴 곳까지 왔다. 다음에 만나 더 이야기를 듣기로 약속하고 역에서 내렸다.

하지만 서로 바쁜 처지라 좀처럼 만날 기회를 잡지 못했다. 이연도 교수가 모처럼 순천에 왔을 때 전화를 해왔지만 나는 빡빡한 일정 때문에 틈을 내지 못했다. 이때 이연도 교수는 자신이 쓴 『근현대 중국 이상사회론』을 소개해주었다. 나는 곧바로 주문하여 책을 받아 들었다.

사흘 굶은 사람이 밥상을 받듯 신나게 책을 펼쳤다. 서문을 읽자마자 빠져들었다. 장쩌민 체제의 '소강사회(小康社會) 실현', 후진타오 체제의 '화해 사회주의(和諧社會主義)'라는 정책 슬로건이 제5

세대 지도자 시진핑 국가주석에 이르러 '중국의 꿈(中國夢)'으로 변화한 것과 '중국의 꿈'이 상징하는 이상 사회 건설을 향한 중국의 의지 등을 짚어본 내용이었다. 이와 함께 중국에 등장한 다양한 이상 사회론을 소개하고 그 의미를 철학적으로 분석한 것이 돋보였다. 내가 알고 싶어 하던 것을 찾았을 때, 지식과 사유의 기초를 닦을 기회를 만났을 때 느끼는 기쁨은 형언할 수 없다. 그때 이연도 교수의 저술을 파고들던 기억이 새롭다.

읽고 돌아보며 생각하기

———

정치를 하고자 하는 사람은 공부, 특히 책을 통해 계속 배우고 사유(思惟)하는 일을 절대 빼놓아서는 안 된다. 독서를 통해 성찰과 사유를 게을리하지 않아야 한다. 그러면서 정치를 하려는 이유를 돌아보고 어떤 정치를 하려고 하는지를 마음에 정립해야 한다. 바쁘다는 핑계는 통하지 않는다.

나는 정치에 독서 특히, 광범위한 인문학 공부가 꼭 필요하다고 생각한다. 성공회대 김명호 교수가 쓴 『중국인 이야기 (1~7권)』를 몰입해서 읽었다. 이 책을 보면서 거대한 영토, 다양한 민족, 부침의 역사를 이끌어간 중국의 지도자들에게 인문학적 소양은 없어서는 안 될 능력이었음을 깨달았다.

그들은 고전과 역사의 거울로 현재를 비추어보았고 통찰력 있는 문장을 주고받으며 논쟁하고 설득했다. 그것이 거대 중국을 움직이는 정치의 힘이었다.

서양의 역사도 인문학 독서의 힘을 보여준다. 나폴레옹이 알프스를 넘어 이탈리아로 쳐들어간 일은 세계사의 대사건으로 꼽힌다. 이것은 누구도 상상하지 못했던 기발한 발상이다. 하지만 이것은 나폴레옹의 독창적 아이디어가 아니다. 그보다 1,500년 전에 카르타고의 명장 한니발이 알프스를 넘어 로마로 진격했었다. 독서광이었던 나폴레옹은 이 기록을 읽어서 알고 있었고 그 전략의 가능성에 대해 심각하게 고민했던 것이다. 침략과 정복 전쟁을 미화할 수는 없겠지만 군이나 정부, 국가를 앞에서 이끄는 사람이라면 적어도 고전이나 역사 등 인문학적 독서를 통한 지식과 간접 경험을 지니고 있어야 한다.

수많은 기업가가 인문학을 부르짖고 있다. 애플의 창업자 스티브 잡스는 창의력의 원천을 인문학에서 찾았다. 소프트뱅크의 손정의 회장은 중요한 의사결정에 앞서 역사적 사례를 광범위하게 조사하고 깊이 숙고한다고 알려졌다.

그런데 기업보다 인문학이 더 절실한 영역이 바로 정치이다. 인간이 목적이며 본질인 정치야말로 인문학의 수혜를 가장 많이 받아야 한다.

정치가로 성숙한다는 것

___

나이가 들면서 사람의 본질을 통찰하는 인문학에 더욱 천착하게 되었다. 서울대학교 '미래지도자 인문학과정'에 다니며 본격적인 공부를 해보았고 변호사 업무로 바쁜 와중에서도 책을 손에서 놓지 않았다. 그러면서 정치와 정책의 본질이 결국은 사람이라는 것을, 표면이 아니라 내면 깊은 곳을 들여다보아야 함을 체득하였다.

요즘 고령화 시대를 헤쳐나갈 방법을 찾기 위해 각계에서 다양한 연구가 진행 중이다. 정치인들도 예외는 아니다. 그들은 몇몇 통계 자료를 인용하며 상황의 심각성을 강조하고 자신의 아이디어를 이야기한다. 그런데 이것으로 끝이다. 무엇보다 소중한 사람의 가치, 그 내면세계의 아픔을 빠뜨린다. 그들에게 사람은 통계 표본 중 하나로 그치고 만다.

사람의 삶에, 그 아픔과 작은 희망에 공감하지 않기 때문이며 공부하고 성찰하며 사유하지 않는 탓이다. 고령화를 이야기할 때는 생산가능인구 감소만이 아니라 늙어감과 죽음이라는 인간적 영역을 헤아리는 지혜가 요구된다. 나는 최현숙 작가의 『작별일기』와 이은주 작가의 『나는 신들의 요양보호사입니다』를 읽으며 늙어감과 죽음의 인간적 의미를 성찰하고 사람에 바탕을 둔 사회 정책이 어떠해야 하는지 깊이 사유해보았다.

늘어감과 죽음. 모두가 겪어야 하지만 마주하기 싫어하는 것이다. 사랑하는 사람의 죽음이라면 특별히 더 그렇다. 예전에는 집에서 장례를 치르는 게 일반적이었다. 이따금 마을 어느 대문에 걸린, 근조라고 쓰인 노란 등을 보고 죽음에 대해 생각하곤 했다.

요즘은 죽어가는 과정과 장례가 모두 요양원, 병원, 장례식장에서 이루어진다. 죽음도 삶의 일부, 삶을 마무리하는 과정인데 사회의 터부가 되어 사랑하는 사람들로부터, 세상 사람들로부터 격리되어 진행된다.

다른 한편으로 한 사람이 죽어가는 과정은 우리 사회를 비춘다. 돈이 있는 가족의 노인은 자택이나 실버타운에서 삶을 마무리하고, 폐지를 줍고 힘들게 사는 노인은 돌봄과 간병을 제대로 받지 못한 채 빠르게 죽음을 맞이한다. 안타깝게도 고독사하거나 스스로 목숨을 끊기도 한다.

물론 노인요양제도가 시행되고 발전하면서 예전보다는 노인요양 서비스가 나아졌다. 그러나 집에 노부, 노모, 특히 거동이 불편하거나 치매에 걸린 부모를 모시는 분들은 사회적 부조가 지금보다 훨씬 많이 필요하다고 느낄 것이다.

건강하고 안전한 환경에서 태어나 자라는 것이 국가 및 사회가 보장해야 할 기본권이듯이 건강하고 안전한 환경에서 노년을 보내고 죽음을 맞이하는 것도 기본권이다. 소득이나 가정 형편과 상관

없이 행복한 노년을 보낼 수 있는 사회, 시스템을 만들어가는 것은 고령화 시대에 더욱 긴요한 일이다. 늙음과 죽음에 대해서 깊이 생각하며 한 사회가 늙음과 죽음을 다루는 방식이 정치적·사회적 문제임을 상기해야 할 것이다.

정치인은 인문학적 소양과 감수성, 상상력을 지녀야만 한다. 그래야 사람을 이해하고 사람과 소통하며 조정을 통해 사람을 행복하게 하는 데 이바지할 수 있다.

하지만 우리는 지금 인문학적 상상력이 고갈된 정치판을 목도하고 있다. 안타깝게도 그곳에는 '사람'이 들어설 여지가 없다. 인간애는 고사하고 최소한의 격조나 품위조차 존재하지 않는다. 깊은 성찰과 사유가 살아날 리 없다.

한국 정치는 인문학으로부터, 그 바탕이 되는 사람과 가치로부터 너무나 멀리 떨어져 있다. 이 척박한 풍토에서 책 읽는 정치가, 인문학적 소양과 상상력이 넘치는 정치가로 살고 싶다.

서동용이
살아온 길

역사의 아픔과 차별을 간직한 땅
———

전라남도 광양군 골약면 황길리 53번지. 호적 제도가 있던 시절 본적이며, 현재 주민등록 기준지이다. 나는 이곳에서 태어나서 초등학교 입학하던 해까지 자랐다. 예부터 텃골로 불리던 이 지역은 '터 기(基)'에 '마을 동(洞)' 자를 써서 기동마을이라고도 했다. 마흔 가구 내외가 살던 작은 마을로 달성 서 씨 집성촌이기도 하다.

할아버지는 육(六) 자, 석(錫) 자를 쓰셨는데, 손가락이 여섯 개셨다고 한다. 함자에서 느껴지듯 할아버지는 가난한 삶을 사셨다. 할아버지께서는 일제 강점기 때에는 광양읍 초남리 광산에서 일하다가 해방되던 해에 기동마을로 돌아왔다고 한다.

제 아버지 위로는 두 분의 큰아버지가 계셨다. 맏형이던 큰아버지는 기골이 장대하고 지식이 풍부한 호걸이었지만 일제 강점기 전후의 세상에 울분을 품었고 불행히도 좌익 활동을 했으며 6·25전쟁 중에 사망했다. 작은 큰아버지는 좌익 아들을 둔 부모님이 경찰에 시달리는 것을 보며 형님과 맞서는 길을 선택했다. 국군으로 입대했으며 얼마 지나지 않아 포항 신기동에서 장렬히 전사했다. 지금 대전 현충원에 묻혀 계신다.

두 아들이 서로 적이 되어, 한 사람은 인민 군복을 입고 또 한 사람은 국군 군복을 입은 채 전사하는 기막힌 아픔을 연이어 겪은 할아버지와 할머니는 마음의 병을 얻으셨는지 얼마 지나지 않아 돌아가셨다. 아버지는 스무 살도 되지 않아 가장이 되어 동생들을 돌보며 집안을 책임져야 했다.

할아버지와 할머니가, 그리고 아버지가 겪으셨던 아픔은 우리 민족이 겪은 아픔의 축소판이다. 좌우의 대립과 전쟁의 참화 속에서 의로운 젊은이들이 꽃다운 목숨을 내놓아야 했다. 그리고 그분들로 이 고통은 끝나지 않았고 후대로 이어져 내려갔다. 레드 콤플렉스가 유령처럼 우리 사회를 짓누르던 시절, 반공이라는 한마디면 쉽게 인권을 훼손할 수 있던 때, 이 고통은 지극히 현실적인 것이었다. 나 역시 이렇게 고통의 피가 스며든 땅에서 태어났다.

호남이 한국 현대사에서 오해와 차별에 시달렸던 건 부정할 수 없는 사실이다. 그런데 호남 사람 중에서도 특히 광양 사람들이 더 큰 편견의 대상이 되었다고 느낀다. 이웃 순천과 비교하면 더욱 그렇다. 순천은 살기 좋은 곳으로 꼽힌다. 열린 분지로 교통 환경이 좋다. 그에 비해 광양은 척박하다. 바다라는 도전도 존재했다. 이렇듯 험난한 역사와 환경을 헤치며 살아오는 동안 형성된 거친 이미지가 편견의 근거가 되었을지도 모른다.

차별받는 땅에서 태어난 아버지는 본능적으로 억척스러움을 키워나갔다. 전쟁이라는 역사의 비극 속에서 의지하던 부모님과 형님을 여의고 열여덟 나이에 집안을 책임져야 했으니 당연한 일이었다. 그리고 나는 아버지의 이런 억척스러움에 사사건건 반기를 들곤 했다. 지금 후회해본들 돌이킬 수 없지만 말이다.

가난한 아버지는 어머니와 결혼할 당시 처가의 반대에 부딪혔다고 한다. 하지만 사람됨을 중요하게 본 외삼촌의 격려로 어머니와 결혼했고 나를 포함한 2남 3녀를 낳아 키우며 고향 광양을 터전으로 평생을 살았다.

아버지는 1971년에 일자리를 찾아 고향 마을을 떠나 광양읍으로 이사했다. 당시 골약초등학교 1학년이던 나는 광양서초등학교로 전학했다. 그때부터 광양읍에서 지내며 학교에 다녔다. 아버지는 광양군 산림조합에 근무했다. 안정적인 직장이긴 했지만, 집 안 살림이 넉넉했던 건 아니다. 춘궁기에는 조합비를 걷지 못하면 급여를 제때 받지 못하곤 했다. 매년 봄이면 아버지와 어머니가 돈이 없어 쩔쩔매던 기억이 난다. 아버지의 평생 꿈은 조상들이 살아오던 곳이며 당신의 고향인 골약면의 면장을 하는 것이었다. 그리고 그 꿈을 이루기 위해 고군분투했다.

나는 아버지와 자주 부딪혔다. 착하고 말 잘 듣는 평범한 유년기와 청소년기를 보낼 때는 큰 갈등이 없었다. 아버지는 공부 잘해서 지역 명문 고등학교에 다니고 명문 대학에 입학한 아들을 자랑스러워했다. 하지만 대학에 들어가 운동권 학생이 되면서부터는 갈등의 연속이었다.

나는 아버지의 억척스러움이 싫었다. 당신의 바람과 기준에 나를 가두는 것을 거부하고 싶었다. 하지만 나이가 들면서 아버지가 그립다. 사법시험에 합격하여 변호사가 되고 아버지의 인생이 담긴 광양에서 정치를 하겠다고 나선 것을 못 보고 떠나신 게 안타깝다.

평범하고 성실한 학생
———

특별할 것이라곤 하나 없이 지극히 평범하게 성장했다. 나는 책 읽기를 좋아했다. 우리 집에는 방문 판매를 하던 사람들이 선물로 주고 간 수십 권짜리 백과사전이 있었는데 그것을 수십 번이나 반복해서 읽곤 했다. 왕성한 독서열은 중고등학교 때도 계속되었다.

중학교 때 광양읍에는 서점이 한 곳 있었고 고등학교 때는 두 곳으로 늘었다. 나는 이 서점의 그리 달갑지 않은 단골이었다. 서점에서 문고본 한 권을 사고는 돌아가서 두어 시간 만에 읽고 다시 가서 바꾸어달라는 식의 얌체 구매를 많이 했다. 서점 주인은 내 속을 빤히 알고 있었을 텐데도 군말 한마디 없이 흔쾌히 바꾸어주곤 했다.

교우 관계도 좋았다. 초등학교 시절부터 친구 집에 모여 놀면서 밤늦도록 이야기를 나누고 그 집에서 자고 돌아오는 것을 즐겼다. 중학교 때는 인근 면에서 온 친구들도 있었는데 제법 먼 곳의 친구 집에 놀러 가서 하룻밤 자고 돌아오기도 했다. 어머니는 이런 일에 개의치 않으셨다.

공부를 잘하는 편이었지만 최상위권은 아니었다. 열심히 노력했지만 1등이 된 적이 없다. 그래서인지 마음속에 2등 콤플렉스 같은 게 자라기도 했다.

박정희 대통령이 김재규의 총탄에 맞아 사망하던 그해 겨울 고등학교 입시를 보았다. 전남은 평준화 이전이었는데 인근의 순천고등학교가 공부 좀 한다는 학생들의 목표였다. 나도 시험을 치르고 순천고등학교에 입학했다.

인근 지역에서 공부 잘하는 학생들이 모인 학교라 처음에는 성적이 그리 좋지 못했다. 하지만 열심히 공부해서 차근차근 성적을 올렸다. 학교 시험에 얽매이기보다는 나 스스로 계획에 따라 공부하는 방식이었다. 내신 성적이 나빠졌지만 개의치 않고 꾸준히 입시를 준비했다.

고등학교 1학년이던 1980년, 5·18광주민주화운동이 일어났다. 하지만 이웃 지역에서 무슨 일이 일어나고 있는지 짐작조차 하지 못했다. 고등학교 입학 후 경쟁 분위기에 짓눌려 있다가 갑작스러운 휴교 조치에 따라 마음 편하게 놀았던 기억이 난다.

미래에 대해서도 진지하게 생각하곤 했다. 고등학교 3학년 초 담임선생님이 개인별로 진학 상담을 했다. 나는 희망하는 진로와 진학 계획을 묻는 담임선생에게 이렇게 대답했다.

"저는 글을 써보고 싶습니다. 구체적으로 작가와 기자, 국어교사가 제 머릿속의 비슷한 무게의 희망입니다. 이를 위해 국어국문학과, 신문방송학과, 국어교육과 진학을 저울질하고 있습니다. 이제 곧 한쪽으로 결심을 굳히려고 합니다." 담임선생님은 입가에 미소를 띠면서 "그놈 참 입이 야물구나"라고 칭찬했다. 구체적이고 논리적으로 미래를 이야기한 게 마음에 들었던 모양이다.

하지만 입시 중심 교육 폐해에 대해서도 눈뜨게 되었다. 그리고 이 생각은 지금까지 이어왔으며 더 커졌다. 학생들이 입시의 무거운 짐을 지고 무한 경쟁 속에서 자라며 진정으로 배워야 할 것은 놓치고 마는 안타까운 현실은 이제 개선되어야 할 것이다. 이에 대해 정치가 무엇을 할지 구체적으로 고민할 것이 많다.

내가 모르던 세상

———

1982년 초겨울, 대학입학학력고사를 보았다. 시간이 조금 지나 점수를 받았다. 나는 기자가 되는 것으로 진로를 생각했기에 신문방송학과에 지원하려 했다. 그런데 고1 때 담임선생님이 기자가 되기 위해 꼭 신문방송학과에 가야 하는 건 아니라고 조언했다. 정치학이나 행정학 등 전문적인 분야의 지식을 쌓고 그 바탕 위에서 기자를 하는 게 더 낫지 않느냐고 했다. 특히 행정학을 전공한 사람들이 진로의 폭이 넓은 장점이 있다며 행정학과 진학을 권했다. 나는 행정학과로 방향을 잡고 원서를 냈다.

1983년 1월 어느 날 아침이었다. 집으로 한 통의 전화가 걸려왔다. 아버지가 골약면 면장으로 임명되었다는 소식이었다. 당시 면장은 별정직 공무원으로서 임명권자의 뜻에 따라 임명하던 구조였다. 아버지는 평생의 꿈을 이룬 기쁨으로 어쩔 줄 몰라 하셨다. 그로부터 몇 분 후 서울에 살던 외삼촌이 학교 게시판에 붙은 합격자 공고를 보고 전화를 했다. "동용이 합격했네."

아버지는 당신의 꿈을 이루는 바로 그 순간, 아들의 합격 소식을 동시에 접했다. 그리고 당신과 아들의 운명이 엮여 있다는 생각을 하셨는지도 모르겠다. 그 이후 아버지는 나를 당신의 운명의 동지처럼 여기는 말씀을 자주 하셨다. 얼마 후 아버지는 골약면으로,

나는 서울로 떠났다.

대학 생활은 내가 머릿속에 그려오던 것과는 완전히 달랐다. 나는 극심한 가치관의 혼란을 경험해야 했다. 그리고 보통 사람들의 지독히 가난하고 힘겨운 삶을 피부로 느끼게 되었다. 1학년 2학기 때부터 사당동 달동네의 당숙 댁에서 지내게 되었다. 포장이 안 된 길은 늘 질척거렸고 겨울이면 연탄재가 나뒹굴었다. 동네에는 싸우는 소리가 끊이지 않았고 하수도 시설이 좋지 않아 악취가 풍겼다. 그리고 늘 흙투성이의 아이들이 위험하게 뛰어놀았다.

나는 날것 그대로의 서민의 모습을 보았다. 그 동네, 그 집이 바로 가난한 한국인의 삶 그 자체였다. 후에 아버지는 "네가 이 동네 사람들을 보면서 가난과 사회에 눈떴구나"라고 말하며 이곳으로 방을 옮겨준 일을 후회했다.

한국 사회의 일그러진 실상을 적나라하게 마주하면서 이것을 바로잡고 더 나은 세상을 만들기 위해 운동이 꼭 필요하다고 생각했지만, 막상 그 길로 나가는 것을 주저했다. 집회에 나가면서도 그 끝에 무엇이 있을지를 늘 고민했다. 명확히 알 수는 없었지만, 이 길을 계속 간다면 내가 바라던 것을 모두 놓아야 할 것이라는 느낌이 들었다. 그리고 아버지 생각이 났다. 그 큰 기대를 외면할 수는 없었다.

그러면서도 고민하며 책 읽고 집회에 참여하는 일상이 계속되었다. 연극 동아리인 연희극회 활동도 열심히 했다. 3학년 초까지 활동했다. 광양의 변호사 사무실 개소식 때 사회를 봐주었던 연극배우 겸 탤런트 이대연과의 우정은 연희극회에서 시작되었다. 학생운동에 전념하기로 결심하고 연희극회를 떠나면서 선후배들과의 관계가 끊어졌다. 하지만 사법시험에 합격하고 난 후 이대연을 다시 만났고, 지금은 연희극회 동문으로서 자주 만나며 우정을 나누고 있다. 대학 시절 연극에 참여한 것은 소중한 경험과 자양분이 되었다. 한 편의 연극을 무대에 올리기 위해서는 많은 사람이 협력하며 땀 흘리는 힘겨운 과정이 뒷받침되어야 한다. 이 고생은 또한 짜릿한 즐거움이다. 이것이 삶과 예술의 정수가 아닐까 생각해본다. 나는 연극을 통해 사람과 인생, 그리고 예술의 새로운 차원을 경험했다.

운동에 대해 끊임없이 고민하고 나름의 해결책을 찾기 위해 책을 선정해 읽었다. 3학년을 마치고 책장을 정리했는데, 전공인 행정학 책은 고작 5권이고 12권짜리 《사상계》 영인본이 유일한 전집이었다. 그리고 내 고민의 자취를 따라 고르고 골라서 읽은 단행본이 500권이나 되었다.

학생운동, 두 번의 구속
——

길고 깊은 고민 끝에 운동에 투신하기로 마음을 먹었다. 연세대학교 사회과학대학 학회에 있던 선배들을 찾아 결심을 밝히고 본격적인 운동에 뛰어들었다. 운동 조직에 속해서 후배들을 챙기며 사회과학 공부를 함께했다.

그 무렵 우리 조직에서는 서울 가락동에 있는 민정당 중앙연수원 점거를 계획하고 있었다. 전과가 있는 친구 대신 내가 후배들을 이끌기로 했다. 1985년 11월 7일 밤, 건국대학교에 모여 다음날의 계획을 세웠다. 그리고 11월 8일 아침에 집결하여 민정당 중앙연수원을 향해 뛰었다. 정문을 돌파한 후 대강당으로 가는 게 목표였는데 정신없이 달려가보니 다른 건물이었다. 나와 몇몇은 옥상에 있었고 일부는 2층 총재실로 갔다. 그곳에는 대통령이던 전두환 사진이 큼직하게 걸려 있었다. 몇 사람이 그것을 떼어내어 옥상으로 가지고 올라왔다. 그러고는 방송 카메라 앞에서 사진을 불태웠다. 이 때문에 사건이 더욱 커졌다.

얼마 지나지 않아 최루액이 뿌려졌고 백골단이 치고 올라왔다. 옥상 출입문에서 대치하다가 결국 바리케이트가 뚫리고 경찰과 시위대 사이에 난투극이 벌어졌다. 엄청나게 맞았다. 그러다 맨바닥에 쓰러져 혼절했다. 다시 눈을 떴을 때는 혼이 반쯤 나간 상태였다. 바닥은 차갑고 눈은 맵고 매캐한 냄새로 숨이 막혔다. 이곳이 어디인지, 내가 여기에 왜 있는지 알 수가 없었다. 그러다 전경 버스에 실렸다. 옆에서 3시간 만에 뚫렸다는 이야기가 들리자 생각이 조금씩 살아났다. 그리고 끊임없이 경찰에서 진술할 내용을 되뇌었다. 친구나 선후배 이름을 이야기하지 않기 위해서였다.

나는 성동경찰서 유치장과 서울시경을 거쳐 구치소에 수감되었다. 농성에 참여했던 학생 전원이 구속되었다고 들었다. 검찰에서는 반성문을 써내라고 했다. 구치소 안에서 의논한 결과 82학번은 끝까지 버티고 83학번은 학교 사정에 따라 정하기로 했다.

서강대학교 학생들은 끝내 반성문을 쓰지 않고 재판을 받았다. 우리는 학교에 할 일이 많으니 반성문을 쓰기로 했다. 기소유예 처분이 내려졌다. 그 후 의정부교도소에서 지내며 반공교육을 받았다. 땅굴을 견학하기도 했다. 생각해보면 희한한 조치였다. 민주화를 위한 시위와 북한이 무슨 관련이 있다고 그랬을까? 땅굴을 보면서 '북한처럼 되지 않으려면 민주화가 더 시급하다'고 느끼게 될 수도 있는데 말이다.

아버지는 청천벽력과도 같은 소식을 들었다. 운명의 파트너이며 자부심과 기대의 대상이었던 아들이 데모하다가 구속되었으니 심정이 오죽했겠는가. 내가 연행되던 날 밤, 아버지는 한잠도 자지 못했다. 그리고 아침 일찍 군청으로 향했다. 그때 면사무소의 관용차를 운전하던 기사가 동행했는데, 아버지의 모습이 몹시 불안해 보여서 뒤따랐다고 한다. 골약면 면장은 아버지 인생의 목표였다. 더욱이 골약면은 광양제철소가 들어선 후 광양군 내에서 위치가 한층 더 중요해졌다. 하지만 이제 이 자리를 내려놓을 때라고 판단했던 것 같다. 아버지는 다리를 휘청거리며 군수실로 들어갔다.

그리고 머리를 조아리며 밤새 고민하며 쓴 사직서를 내밀었다. "제 자식이 불미스러운 일을 저질렀습니다." 그러자 군수는 "아이고, 이놈들이 민주화운동한다고 꼭 그런 짓까지 해야 되나? 왜 폭력을 써"라고 하며 "아직 위에서 특별한 지시가 없으니 사직서는 그냥 가져가세요"라고 말했다고 한다. 일단 사표를 받아두었다 지시에 따라 조치해도 되는데 굳이 사직을 만류한 것이다. 군수실 밖에서 기다리던 관용차 기사가 보니 아버지는 군수실 문을 닫고 나오자마자 복도에 털썩 주저앉고 말았다고 한다.

구치소에서 나온 후 아버지의 통제는 매우 심해졌다. 사사건건 부딪치며 갈등의 골이 깊어갔다. 하지만 아버지는 나를 막지는 못했다. 그 이듬해에 시위에 나섰다가 또다시 구속되었다. 두 번째 구속된 1986년은 신민당을 중심으로 개헌운동이 한창이었고 인천에서 5·3민주화운동이 일어난 시기이기도 하다. 하룻밤에 100명 넘는 사람이 민주화운동 관련으로 경찰서에 잡혀 왔다.

당시 부천경찰서에서 조사를 받는데 담당 경찰이 아니라 그 옆의 동료가 나를 무지막지하게 때렸다. 얼굴에 피가 많이 나서 입고 있던 점퍼가 피범벅이 되기도 했다. 이 모습을 본 어머니가 오열했었다. 내가 구치소에 있는 동안 '부천경찰서 성고문 사건'이라는 지금으로는 상상도 할 수 없는 처참하고 부끄러운 비극이 벌어졌다. 그때 그 일을 벌인 경찰이 문기동이다. 나중에 TV에서 그의 얼굴을 보았는데 나를 심하게 때렸던 바로 그 사람이었다. 집행유예를 받아 3개월 반의 수감 생활을 끝내고 출소하였다. 그리고 노동운동에 투신할 결심을 굳혀갔다.

노동운동과 귀향
——

두 번째 구속되었다가 출소한 후 본격적으로 노동운동에 나서기로 마음을 정했다. 처음에는 고양의 화전역 근처에 방을 하나 얻어 두 선배와 함께 지내다가 인천에 있는 친구 집으로 옮겼다. 학습과 토론을 하며 준비하다가 1986년 말, 가스계량기를 만드는 공장에 들어갔다. 그 당시 많이 그랬던 것처럼 나도 차명을 쓰고 위장취업을 했다.

공장에서 일을 시작하면서 대한민국 민주주의가 꽃을 피우던 격변기, 1987년이 밝았다. 그해 6월 폭력적 진압으로 이한열 열사가 숨을 거두고, 민주화와 개헌을 요구하는 시민의 목소리가 전국을 뒤덮었다. 시민의 참여는 더욱 거세졌다. 시위를 욕하던 사람이 지지하면서 지켜보게 되고, 그러다 인원이 부족하면 시위대 쪽으로 한 발자국 들여놓고 더 나아가 아예 시위대의 일원이 되었다.

마침내는 시민들이 온 거리를 가득 채웠다.

그렇게 6월 항쟁이 전개되었고 연이어 7~8월 노동자 대투쟁이 벌어졌다. 위염 치료 때문에 잠시 공장을 그만두었던 시기였다. 나는 학생 출신임을 밝히고 밖에서 노조 설립 실무를 지원했다. 하지만 뜨거운 열기 속에 투쟁이 진행되어 실질적으로 내가 할 일이 거의 없을 정도였다.

이후에는 기계에 들어가는 고무링을 만드는 공장에 취업했다. 주야 맞교대를 하는 힘든 작업장이었다. 저녁 7시에 출근해서 8시에 작업을 시작하고 다음날 아침 8시까지 꼬박 일한 후 청소를 마치고 교대하고 9시에 퇴근하는 고된 일과였다. 야참을 먹는 시간을 빼고는 잠깐의 휴식도 주어지지 않았다.

아침이면 식당 아줌마가 해놓은 밥을 먹곤 했는데 늘 차갑게 식어 있었다. 집으로 돌아오면 연탄을 피우지 않아 방바닥이 얼음장처럼 차가웠다. 이따금 퇴근 후 순댓국집에서 뜨거운 국물에 소주 한 잔을 들이켰다. 그러면 빈속을 짜르르 파고드는 독한 기운에 몸이 축 늘어졌다. "전쟁 같은 밤일을 마치고 난 새벽 쓰린 가슴 위로 찬 소주를 붓는다. 아 이러다간 오래 못 가지"로 시작하는 박노해의 시가 절로 생각났다. 그렇게 살인적인 작업량에 시달리며 일하고 또 노조를 조직하는 데 힘을 쏟았다.

그리고 양은냄비를 만드는 공장으로 옮겼다. 그곳에서 1년 넘게

140

일했는데 숙련도가 높아져 월급을 꽤 많이 받게 되었다. 가스계량기 공장에서는 11만 원 조금 넘는 월급이었는데, 양은냄비 공장에서는 야근이나 특근 없이도 월급이 20만 원을 넘었다. 그만큼 작업이 고되었다. 나는 점점 숙련공이 되었고 일당도 더 올랐다. 노조를 육성하기 위해서도 열심히 노력했다. 하지만 이 시도는 회사에 발각되어 실패로 끝나고 말았다.

나는 노동운동에 조금씩 지쳐갔다. 같은 조직에서 함께한 이의 도저히 이해할 수 없는 언행으로 갈등을 빚기도 했다. 하지만 그 사람 때문에 노동운동을 그만둔 것은 아니다. 그 이유는 전적으로 내게 있었다. 나는 힘을 잃었고 건강도 악화되었다. 더 이어갈 동력이 소진된 상태였다. 잡혀가지 않으려고 항상 조심하고 움츠리는 일도 힘겨웠다. 혹시 연행되어 고문을 당하면 동료들에게 피해가 가지 않게끔 무엇을 어떻게 말할지를 늘 연습하며 되뇌었다. 이런 삶이 너무 고달팠다.

나는 운동을 오랫동안 한 사람을 존경한다. 특정 시기에 잠깐 운동을 하는 건 그리 어렵지 않다. 많이들 그렇게 한다. 하지만 힘겨움을 인내하며 오래 운동하는 데에는 큰 내공이 필요하다. 그래서 그런 분은 위대한 사람이라고 믿는다.

노동운동 현장을 떠나면서, 몸과 마음을 추스르고 재충전한 후에 다시 돌아오리라 결심했다. 그 자리가 어떤 곳이든 반드시 다시 시작하겠노라고 마음을 다잡았다. 그리고 그 생각은 단 한 번도 접지 않았다.

광양의 청춘

———

나는 광양으로 내려왔다. 그 무렵에는 운동을 그만둔다기보다는 재충전의 시간을 갖겠다는 생각이었다. 할 일을 찾다가 사업을 하기로 정했다. 그리고 동서식품 대리점을 차렸다. 당시 다방이 한창 성업 중이었는데 그곳에 인스턴트커피와 원두커피 등 재료를 공급하는 사업이었다.

동서식품 대리점 사업은 그런대로 벌이가 괜찮았지만, 대리점 간에 영업권을 둔 다툼이 끊이지 않았다. 선배의 선배 등으로 인간관계가 얽히자 마음이 편치 않았다. 오래 할 일이 아니라고 생각하고 함께 일하던 친구에게 대리점을 넘기고 새로운 일을 찾았다.

그리고 시대에 맞는 새 사업을 시작했다. 순천에 '정보와 나눔'이라는 이름의 회사를 열고 컴퓨터 시스템 판매와 소프트웨어 개발 사업을 했다. 성과가 좋지 않았지만, 희망을 품고 열심히 일했다. 그러다가 도약의 계기라고 여겨지는 기회를 찾았다. 한 백화점에서 POS 시스템을 구축할 계획이라는 정보를 듣고 그곳에 시스템을 납품하고자 뛰어들었다. 결과적으로 보면 우리 회사 규모에는 어

울리지 않는 일이었다. 일은 무산되었고 이때 버거운 투자는 결국 회사가 문을 닫는 발단이 되었다.

이 무렵 나는 지역 운동에 관심을 가지기 시작했다. 순천의 '새벽을 여는 노동 문제 연구소'에 참여했는데 그 당시는 새정치민주연합의 순천시장 후보였던 허석 선배가 이 연구소를 이끌고 있었다. 그곳에서 지역 노동운동을 하는 분들과 교류하며 노동 상담을 했다.

그리고 광양에서는 치과의사이며 후에 광양 환경운동연합 의장과 광양시의회 의원을 역임한 이서기 선배, 그리고 두 분의 한의사 등 몇몇 분과 함께 '수요 모임'을 만들었다. 매주 수요일에 모여 지역의 현안과 포괄적인 문제를 토의하는 자리였다. 때로는 지역 전문가와 야당 정치인 등을 모셔서 깊은 이야기를 듣기도 했다.

수요 모임은 광양 시민운동의 한 방향을 이루었다. 광양 내 골프장 건설 문제 등을 토론하였고 이후 광양제철소 인근에 지정폐기물처리장 조성이 추진되었을 때 적극적인 반대 운동을 펼쳤다. "우리 지역에는 안 된다"는 무조건적 반대가 아니라 합리적인 근거를 제시했다. 이 운동은 광양에 순천보다 더 빨리 환경운동연합이 조직되는 계기가 되었다.

지역 운동에 참여하면서 사업에도 최선을 다했지만, 사업은 점점 나빠졌다. 변화가 필요하다고 생각했지만 무엇을 어떻게 할지 구체적인 방법을 찾지 못했다.

새로운 시작

———

'새벽을 여는 노동 문제 연구소'에 참여하고 있을 때 인연을 맺었던 분의 소개로 지금의 아내를 만났고 결혼했다. 달콤한 신혼은 길지 않았다.

1995년 9월에 큰애를 낳았는데 그 무렵 사업이 걷잡을 수 없이 악화되었다. 하루하루 버티기가 힘든 지경이었다. 결혼할 때 아버지로부터 전세금을 받아 살림을 시작했다. 그리고 당시 부유한 편이었던 처가로부터도 경제적인 지원을 받았다. 이 돈으로 1년 후에 입주할 아파트를 계약했다.

새 아파트로 이사한 지 얼마 되지 않아 나는 사업을 정리하기로 마음먹었다. 아파트를 전세로 주고 그 전세금과 아버지의 재산 일부를 처분한 것으로 부채를 정리했다. 그리고 부모님 집으로 들어갔다. 이렇게 사업을 정리하고 나니 가족에게 폐를 끼쳤다는 죄송함과 앞으로 가족이 어떻게 먹고살지에 대한 막막한 마음이 나를 짓눌렀다.

새로운 사업을 할 자본도 없고 학생운동과 노동운동 전력이 있는 나를 받아줄 직장을 찾기도 어려웠다. 이리저리 궁리하다가 '나에게 투자하자'는 데 생각이 미쳤다. '5년'이라는 시간도 생각해보았다. 사업을 새로 시작할 돈도 없거니와 만약 있다고 하더라도 자리를 잡기까지 5년은 걸릴 것이다. 그 5년이라는 시간을 내 몸에, 머리에, 지식에 투자하면 자본에 투자하는 것만큼의 결과를 얻을 수 있으리라는 판단도 들었다.

5년 전을 더듬어보았다. 그때 무엇을 했는지 크게 기억나는 게 없었다. 큰 의미 없이 너무 빨리 지나간 세월이었다. 나는 '미래의 5년은 길어 느껴지지만 과거의 5년은 짧았다. 5년 후에도 되돌아보면 지금과 마찬가지일 것이다'라고 생각했다. 마침내 8년간의 사업에 종지부를 찍고 36세의 나이로 사법고시라는 새로운 영역에 도전하기로 마음을 먹었다.

내가 결심을 밝히자 아버지는 극구 말렸다. 하지만 아내는 "알아서 하라"고 했다. 뾰족한 대책이 없는 상황에서 나의 선택을 신뢰한다는 암묵적인 동의였다.

나는 사업할 때 타고 다니던 낡은 다마스로 순천대학교 도서관으로 출퇴근하며 공부했다. 아침 8시면 도착해서 밤 11시에 나올 때까지 하루 15시간을 도서관에서 보냈다. 식사나 휴식을 빼고 10시간 이상을 꼬박 공부에 집중했다. 휴일도 거르지 않고 열심히 공부했다.

공부를 시작한 첫해 경험 삼아 치른 1차 시험에 떨어진 것은 당연한 일이었다. 그런데 그다음 해 1차 시험 낙방은 심하게 아쉬웠다. 그리고 그 이듬해 사법고시 1차 시험에 합격했다.

그리운 아버지

———

내가 1차 시험에 합격하자 온 가족이 모두 기뻐했다. 처음에 반대하던 아버지도 역시 매우 흐뭇해했다. 하지만 그 무렵부터 아버지의 건강이 급격히 나빠졌다. 지역 병원에서 치료하던 아버지는 결국 서울의 병원으로 옮겼다. 그리고 9시간 30분의 대수술을 받았다.

하필이면 수술 날이 내가 2차 시험을 보는 날과 겹쳤다. 나는 깊이 고민한 끝에 시험을 보러 가기로 결정했다. 합격 가능성이 전혀 없지만 경험을 쌓는 게 중요했다. 만약 그다음 해 2차 시험을 볼 때 경험이 부족한 게 문제가 되면 앞으로 아버지를 원망할 수도 있을 텐데 그런 일은 없어야겠다는 생각이 들었다. 4일 동안 병원을 오가며 시험을 치렀다.

수술은 아주 잘되었다. 아버지는 수술 후 7일이 지나서 퇴원하고 집으로 내려왔다. 하지만 그 후 20일이 지나서 갑자기 나빠졌다. 이번에는 뇌경색이었다. 아버지는 강인한 사람이었다. 그 상황에서도 위기를 넘겼다.

그때 나는 어머니께 공부를 위해 서울로 가겠노라고 했다. 이런 결정을 내리기까지 숱한 고뇌가 있었다. 모질지만 아버지와 모든 가족을 위해서 그것이 옳다고 판단했다. 만약 여기서 더 공부가 지

체되어 내년에도 시험에 실패한다면 그것은 모두에게 상처가 될 것이라 생각했다. 서울 신림동 고시원으로 옮긴 지 한 달쯤 되었을 때 아버지가 위급하다는 연락이 왔다. 서둘러 움직였지만 이미 아버지께서 세상을 떠난 후였다.

극심한 슬픔이 찾아왔다. 하지만 이상하리만큼 눈물이 나지 않았다. 무의식적으로 참으려 애썼는지 아니면 눈물을 참는 게 몸에 뱄는지 모르겠다. 출상할 때 내가 영정을 들었다. 장지로 가서 하관한 후에 흙을 뿌렸다. 집안 어른들이 나더러 그 흙을 밟으라고 했다. 도저히 할 수 없었다. 못하겠다고 했다. 밟으려 하니 눈물이 쏟아졌다. 참고 있던 슬픔이 쏟아져 주체할 수가 없었다. 얼마나 울었던지 지금도 한없이 서럽게 통곡하던 그때의 나에 대해 이야기하는 어른들이 있을 정도다.

상을 치르고 일주일 후 서울로 올라가서 공부를 계속했다. 그런데 극심한 무력감에 빠졌다. 올라간 첫날부터 하루 16시간씩 잤다. 밥을 먹고 잠이 들면 다음 식사 벨이 울릴 때까지 계속 잠만 잤다. 그리고 꿈을 꾸었다. 꿈속에서 아버지를 만났다. 손을 맞잡고 화해했다. 그러면서 끝도 없이 울었다.

일주일 더 지나자 잠이 줄었다. 그런데 그 대신 기침이 났다. 결핵이 지나간 상태였다. 하지만 기침이 심해 한동안 기침약을 먹었다. 기침이 멎은 후에는 오른발 아킬레스건의 통증이 심했다. 제대로 걷지도 못해 고생했다. 이런 이상 반응이 계속되면서 공부를 제대로 하지 못했다. 이 무렵 아버지가 수술을 받을 때 보았던 2차 시험 결과가 나왔는데, 예상했던 대로 낙방이었다. 과락이 나온 것도 충격적이었다. 이대로 포기할까 생각도 했지만, 어머니와 주변 사람의 격려를 발판으로 삼아 일어섰다.

월드컵으로 온 세상이 들끓던 2002년, 나는 긴박한 마음으로 공부에 열중했다. 어느 날은 산책을 마치고 방에 들어가려니 다시는 못 나올 것 같은 공포심에 휩싸였다. 도저히 들어가지 못하고 30분을 밖에서 서 있었다. 공황 장애의 한 종류로 여겨지는 이런 증상은 2차 시험을 볼 때까지 간헐적으로 나타났다.

2차 시험을 볼 때는 출제될 문제를 거의 예측할 정도로 자신감이 붙었다. 첫 과목에서 헤매는 바람에 잠시 실의에 빠지긴 했지만 이내 마음을 고쳐먹고 나흘간의 시험을 잘 마쳤다. 그리고 이 정도면 됐다는 홀가분한 생각이 들었다.

합격자 발표가 날 때까지 한 번도 낙방할 것이라 생각하지 않았다. 막연한 불안감조차 없었다. 이듬해 합격자 명단에서 내 이름을 확인했다. 기뻤지만 아버지가 이 소식을 듣지 못하고 떠나신 게 한스러웠다.

2003년 사법연수원에 들어갔다. 그곳에서 열심히 법률을 공부하고 나이 어린 동기들과 부대끼며 사법연수원 시절을 보냈다.

가치를 추구하는 변호사

———

변호사가 된 초창기 외국인근로자지원센터에서 법률 지원을 했었다. 2주에 한 번 일요일에 나가 법률 자문을 하고 소송이 있을 때는 무료로 변론을 맡았었는데 노동권이 취약한 외국인 근로자의 현실을 아프게 받아들이며 개선책을 찾고자 노력했다.

2006년에는 '일심회 사건'이라 불리는 국가보안법 위반 사건을 다루었다. 이 사건은 민주노동당 분열의 계기가 되는 등 진보 진영 내에서도 큰 파문을 일으켰다. 특히 변호인단의 중심이었던 이덕우 변호사는 민주노동당에서 책임을 맡고 있었기에 변론 과정에서 고민이 더욱 컸다.

나는 이 사건을 진행하며 매우 복합적인 심경이었다. 국정원으로부터 정보를 입수한 언론은 재판이 시작되기도 전에 '간첩'을 거론하며 피의자의 실명과 소속을 공개해 그 가족들을 괴롭게 했다. 이는 분명한 불법 행위이다. 또 피의자들이 의도하지 않은 사이에 실수한 것이 큰 사건으로 증폭되었다 하더라도 이는 분명히 진보 진영이 안고 있는 문제점과 상처를 드러내는 뼈아픈 일이었다.

2008년에는 미국산 쇠고기 수입에 반대하는 촛불이 광화문과 청계천 등지를 뒤덮었다. 그 당시 이명박 정부는 예상치 못했던 국민의 큰 저항에 부딪히자 어쩔 줄 몰라 했다. 대통령이 사과하며 수습하려 했지만 이미 많이 늦었다. 그 후 이명박 정부는 평화로운 촛불집회를 무리하게 진압하려 했다.

이때 한국YMCA전국연맹 사무총장이 현재 국회의원인 이학영 의원이었다. YMCA는 정부의 과도한 진압에 항의하는 뜻으로 '눕자 행동단'을 만들었다. '경찰이 진압하면 그 자리에 눕고, 끌려가면 다시 돌아와 눕자'라는 방침으로 비폭력 불복종 시위를 조직하려 했었다. 그런데 눕자 행동단이 시위 중에 바닥에 눕자 경찰은 끌어가지 않고 그냥 밟았다. 누워 있는 사람을 곤봉으로 때리고 군홧발로 짓밟는 비인간적 만행을 저지른 것이다.

이에 대해 국가를 대상으로 한 손해배상 청구 소송을 진행했다. 이 소송으로 경찰 과잉 진압의 불법성을 밝혀낸 것이 의미 있는 성과였다.

2008년 7월 11일 금강산 관광 중이던 여성 관광객이 새벽에 산책하다 북한군의 총탄을 맞아 숨지는 비참한 사고가 일어났다. 고귀한 생명이 희생되었으며 이 사건으로 금강산 관광이 전면 중단되는 등 남북 관계가 완전히 얼어붙었다.

민족 화해와 통일의 염원이 강렬한 분들은 이런 상황이 견디기 어려웠다. 그 대표적인 인물이 한상렬 목사이다. 그는 남북 간의 긴장감이 고조되던 2010년 6월, 6·15 남북 공동선언 10주년을 기념하기 위해 정부의 허가 없이 방북했다. 이와 더불어 북한에서의 행적이 범죄로 규정되었다. 한 목사는 2010년 8월 20일 돌아오자마자 구속되었고 재판이 진행되었다.

이 재판은 나에게도 큰 영향을 끼쳤다. 몇몇 극우 언론이 내가 법정에서 한 변론을 들어 '국가관이 의심스러운 사람' 또는 '빨갱이'로 몰아붙였기 때문이다. 법정에서의 변론은 법적 논리를 다투는 공방이다. 논리적 전제를 부인하면 그 결과가 자연스럽게 부정되는 게 논리적 귀결이다. 그래서 나는 "북한은 반(反)국가단체가 아니기 때문에 한 목사에게 국가보안법 위반 혐의를 적용할 수 없다"고 변론했다.

이 말은 일부 사람들에게 매우 충격적으로 들렸던 모양이다. 오른쪽 멀찍이서 보면 내 국가관이 의심스러울 수 있다. 하지만 나는 대한민국 국민이다. 대한민국을 아끼고 사랑한다. 시장 경제가 더욱 발전하기를 바란다. 내 변론 역시 대한민국 헌법재판소와 대법원이 견지하고 있는 원칙의 한 축에 근거를 두고 있다. 대법원과 헌법재판소는 북한에 대해 "조국의 평화적 통일을 위한 대화와 협력의 동반자"임과 동시에 "대남적화노선을 고수하면서 우리 자유민주주의체제의 전복을 획책하고 있는 반국가단체"라는 성격을 함께 갖고 있다고 파악한다. 쉽게 말해 북한이 어떤 때는 반국가단체이고 어떤 때는 반국가단체가 아니라는 뜻이다. 북한이 반국가단체가 아니라는 말은 대한민국 헌법 가치에 바탕을 둔 법리 해석일

뿐 감히 입에 담아서는 안 될 좌익의 망발은 아니다.

그리고 한 목사가 구속되기 한 달 전쯤 대법원에서 남북공동선언실천연대의 국가보안법 판결이 났다. 여기서 북한의 이적 단체성을 규정하는 박시환 대법관의 의견이 제시되었다. 그 내용을 옮기면 다음과 같다.

"북한의 반국가단체성을 규명할 때에도 (…) 북한과 관련된 일체의 사항에 대하여 원칙적으로 국가보안법의 반국가단체를 전제로 한 규정이 자동적으로 적용되는 것이 아니라, 북한의 반국가단체적 측면과 직접적으로 연관되는 사항에 한하여 북한을 반국가단체로 취급하여야 할 것이다. 북한과 관련된 모든 행위에 대하여 북한의 반국가단체적 측면과 연관되었는지 여부와 상관없이 일단 반국가단체와 관련된 행위로 보아 그 행위를 국가보안법의 적용대상으로 삼은 뒤, 남북의 교류·협력을 목적으로 하는 등 대한민국의 존립·안전에 위해가 없는 행위임이 밝혀진 경우에 한하여 국가보안법의 적용을 면제해주는 식의 법 적용은 국가보안법의 제정 목적, 국가보안법 제1조 제2항의 엄격적용 원칙, 헌법 제37조의 기본권 보장규정 등에 비추어 타당하지 않다. 그리고 이는 어떤 행위를 국가보안법 위반으로 처벌하기 위해서는 검사가 그 구성요건 해당사실을 증명해야 한다는 형사소송절차의 기본 원칙에도 어긋나는 해석이다."

이렇듯 내 변론은 대한민국 법체계 안에 있다. 나는 한 목사의 방북 사건의 맥락 속에는 북한의 이적 단체성을 발견할 수 없고 이에 따라 국가보안법 위반 적용이 어렵다는 취지로 변론했다.

나는 변호사로 법정에 서면서 우리나라의 체포, 구금, 재판 절차에서 인권 의식이 과거에 비해 훨씬 발전했음을 체감하고 있다. 겉으로는 크게 느껴지지 않는 피의자 권리 하나하나는 과거 선배 변호사들이 끈질기게 요구하며 싸워서 얻어낸 것이다. 그리고 그 일부가 관행과 상식으로 굳어지고 있다. 나는 변호사로서 이런 역사적 발전을 매우 소중하고 또 자랑스럽게 여긴다. 한 걸음 한 걸음 이런 발전을 이루어낸 선배 변호사들을 존경한다.

하지만 2019년 가을 조국 전 법무부 장관 가족을 수사하면서 검찰이 보여준 행태는 아직 갈 길이 많이 남았음을 그대로 드러내었다. 개혁 과정에서 조직의 지위와 기득권을 지키려 저항하는 모습을 안타깝고 답답하게 지켜보며 가치와 정의의 복원이 시급함을 느낀다.

법정 안에서든 법정 바깥에서든 가치를 추구하는 선량한 변호사의 길을 묵묵히 갈 것이다.

문제는 그 후다

과거에 대한 진실 공방

———

2019년 5월, 한국 언론이 엄혹했던 1980년을 소환하여 시끌시끌했던 적이 있다. 국회부의장을 지낸 심재철 자유한국당 의원과 유시민 노무현재단 이사장이 40년 전 학생운동을 할 당시 수사기관에서 혹독한 조사를 받으면서 누가 선후배를 더 많이 고변하였는지를 두고 싸우고 있다는 보도였다.

박정희·전두환 정권 시절 학생운동을 하다가 수사기관에 잡혀가면 선후배들 명단을 적어내게 하고, 안 적어내면 무자비하게 고문을 했다. 명단에 이름이 적힌 사람은 곧 잡혀가거나 수배를 당하게 된다. 이 때문에 이름이 알려진 소수를 제외하고는 학생운동을 하는지가 비밀이어야 했고, 학생운동 조직은 비합법 형태를 띠었었다.

유시민 이사장은 한 TV 프로그램에 출연하여 1980년 당시의 경험을 이야기하면서 두들겨 맞지 않기 위해 수사기관에 명단을 적어내긴 했지만, 학생운동 조직이 드러나지 않도록 꾀를 부려 명단을 작성하였다고 말했다. 이 내용이 방송되자 심재철 의원은 유시민 이사장이 그때 적어낸 명단 때문에 많은 서울대 선후배들이 수배를 당하였다며 유시민을 배신자라고 공격했다.

이에 대해 유시민이 다시 반박하였고, 보수 언론들이 기다렸다는 듯이 누구의 말이 진실인지 가려야 한다며 보도를 이어갔다.

박정희·전두환 군사독재 정권은 정치적 반대자를 고문과 협박으로 탄압했다. "야당의 유력 정치인 김대중이 정권을 장악하기 위해 내란을 준비하고 그 과정에서 광주민주화운동을 부추겼다"는 김대중 내란 음모 사건도 고문에 의해 만들어졌다. 그리고 당시 재판에서 "김대중으로부터 광주에서 소요를 일으키라는 지시와 함께 돈을 받았다"고 진술한 사람 중 한 명이 심재철인 것으로 알려져 있다.

당시 함께 재판을 받았던 사람 중에는 심재철이 중앙정보부에서 고문을 받을 때뿐 아니라 고문의 위협이 사라진 법정에서도 그 진술을 유지했다고 비판하기도 한다.

그런데 한편으로 보면 당시 겨우 스물 몇 살이던 청년이 고문을 못 이겨 거짓 진술을 하고, 겁에 질려 법정에서도 그 진술을 이어간 것을 두고 그렇게까지 비난할 일인지 의문이 없지 않다. 정적을 제거하기 위해 온갖 고문을 자행하며 인간의 생명을 위협한 군사 정권을 탓하는 대신 두려움에 심약해졌을 청년을 희생양으로 삼아서는 안 된다.

매에 장사 없다고 고문을 이겨내는 사람은 많지 않다. 고문에 못 이겨 거짓 진술을 한 사람은 평생 죄책감에 시달려 살게 된다. 고문이란 그렇게 인격적 가치를 파괴하여 파멸에 이르게 하는 반인륜적 범죄이다.

그다음에 어떻게 살았느냐가 중요하다
——

문제는 그 이후다.

고문을 이겨냈든 못 이겨냈든 이후 그가 어떻게 살았는지, 누구와 함께했고, 어떤 가치를 지향했는지가 중요하다. 잘 알려진 대로 심재철은 서울대학교 재학 시절 학생운동의 상징인 총학생회장이었지만 다른 학생들과 달리 무죄 석방되었고, 1985년 MBC에 입사하여 10년간 기자 생활을 했다. 유죄 판결을 받은 학생운동권들은 엄두도 못 낼 일이다.

이후 그는 1996년 한나라당에 입당하여 국회의원에 내리 다섯 번 당선되었고, 자유한국당 몫의 국회부의장도 지냈다. 심재철이 그동안 몸담았던 한나라당, 새누리당, 자유한국당은 전두환이 만든 민정당을 계승한 정권이고 이명박과 박근혜를 배출한 정당이다.

그런 정당에 몸담은 심재철이 전두환에 의한 고문과 광주에서의 학살에 대한 비판 대신, 이력에 공과는 있겠지만 그래도 대학 시절 가졌던 정의의 신념에 어긋나지 않도록 살기 위해 노력해온 사람을 비아냥대고 조롱하는 것은 있을 수 없는 일이다.

그는 옛 민주화 동지를 비난하기 전에 1980년 이후 자신이 누구와 함께 지냈고 어떤 가치를 지향했는지 밝혀야 한다. 마찬가지로 전두환, 노태우, 이명박, 박근혜를 지지·옹호하였던 보수 언론들이 역사성을 배제한 채 진실 게임을 벌이듯 그때의 일을 희화화해서는 안 된다.

내 과거의 삶을 돌아본다.

성실한 성장기를 보내고 대학 때는 학생운동을 하면서 두 번이나 구속되었다. 이후 잠시 노동운동에 투신했었고 광양에 내려와 시민 사회운동에 열심히 참여했다. 변호사가 된 이후에는 약한 사람 편에 서려고 노력했다. 변호사 사무실을 광양으로 옮긴 후에는 지역민의 애환을 풀고자 동분서주했다.

지나간 세월을 포장해서 나를 내세울 생각은 추호도 없다. 문제는 과거가 아니라 그 이후이기 때문이다. 현재 내가 어떤 가치를 가지고 있으며 무엇을 실천하고 있는지가 핵심이다. 살아오면서 좌절과 실수도 있었다. 반대로 보람과 성취도 있었다. 이 모두가 현재의 나를 이루는 요소이다.

정치인은 살아왔던 날보다 현재가 더 나은 사람이어야 한다고 믿는다. 그리고 미래에는 더욱 성장해야 한다. 그래야 시민의 삶과 열망을 받아 안을 수 있지 않겠는가? 그 이후 어떻게 살아왔는지를 늘 되새기며 앞으로 어떻게 살아갈지를 철저히 성찰하는 사람이 될 것이다.

3장

따뜻한 법률

민주사회를 위한
변호사 모임

법정 인권의 신장

———

임기 중 탄핵당하고 구속된 박근혜 전 대통령이 법정에 처음 출석하는 장면을 많은 국민이 지켜보았다. 과연 구속 중에도 올림머리를 하고 나올까 궁금해하는 사람도 있었다. 사복을 입고 수갑을 찬 채 구치소에서 살 수 있는 플라스틱 머리핀으로 머리카락을 고정하고 법정에 출석하는 장면이 TV 화면에 나왔다.

예전에는 구속된 피의자들이 구치소 수용복을 입고 포승줄로 묶여서 수갑을 찬 채 법정에 출석했었다. 이것은 법원 판결이 확정되기 전까지는 무죄로 추정한다는 헌법상 무죄 추정의 원칙에 반하는 것으로서 지극히 부당한 처사였다. 그런데도 아무런 문제의식 없이 이를 받아들이고 있을 때 이 문제를 제기하여 법원으로부터 부당한 공권력 행사에 해당한다는 판단을 끌어낸 것은 대부분 민주사회를 위한 변호사 모임(이하 민변) 변호사들이었다.

박근혜 전 대통령이 자신과 사사건건 대립하던 민변 변호사들에 의해 수감 중 인권을 보호받게 된 것은 역사의 아이러니라 할 수 있다. 하지만 민변 소속 변호사들은 자신들과 뜻을 같이하는 사람들의 인권만 보호하고자 한 것은 아니다. 엄혹한 시대부터 보편 인권을 추구한 결과를 모두가 누리게 된 셈이다.

민변의 사회적 역할

———

2016년 3월 10일 《노컷뉴스》에는 「'막걸리 반공법' 억울한 옥살이 42년 만에 대법서 '무죄'」라는 제목의 기사가 실렸다. "42년 전 말 몇 마디 때문에 이른바 '막걸리 반공법'으로 억울한 징역살이를 한 부부에 대한 재심에서 무죄를 선고한 1심 판결이 대법원에서 최종 확정됐다"는 내용이다.

경남 하동에 사는 김도원, 차은영 부부는 1969년 10월과 11월경 자택과 거리에서 통일교 교인들과 만나 김일성을 찬양하고 북한 체제를 옹호하는 발언을 했다는 혐의로, 그로부터 4년이 지난 후에 광양경찰서에 체포되어 구속 수사를 받아 기소되었다. 법원은 부부에게 각각 징역 2년, 자격정지 2년을 선고하였고, 이에 대해 이 부부가 고등법원과 대법원에 차례로 항소했지만 모두 기각돼, 형기 2년을 모두 채우고 1976년 3월에 만기 출소했다.

만기 출소 후 47년이 흘러 이미 고인이 된 김도원, 차은영 부부의 아들인 김희곤 씨 등이 재심 청구를 하였고 재심이 받아들여져 재판을 다시 한 결과 2016년 1월 광주지방법원 순천지원에서 무죄가 선고된 후 대법원에서 그 판결이 확정되었다.

1심 판결 후 김도원, 차은영 부부의 아들인 김희곤 씨는 "내가 19살이던 어느 날 부모님이 행방불명이 됐다가 2년 징역을 살고 오셨다. 지역에서 간첩이나 빨갱이로 낙인찍혀 정상적으로 학교에 다닐 수 없어 타향살이를 했다"며 "41년 동안의 한이 풀리는 것 같다. 저세상에 계신 부모님이 얼마나 좋아하시겠나"라며 눈물을 흘리기도 했다.

이 재심 사건은 민변이 맡아 하였는데, 사건을 담당한 조영선 변호사는 "1970년대 중앙정보부의 공작에 의해서 혐의가 창작돼 말 몇 마디 때문에 반공 이데올로기에 의해 처벌받은 안타까운 사건"이라며 "당시 법원과 검찰이 진술의 허위성을 충분히 인식할 수 있었는데, 아쉬움이 있다"며 "뒤늦게나마 사실을 바로잡았다는 점에서 큰 의미가 있다"고 말했다.

사실 박정희·전두환 정권 시절 정권에 반대하거나 우호적이지 않은 사람들을 빨갱이로 몰아 처벌한 것은 다반사로 이루어진 일이다. 그 과정에서 반공주의 광풍 속에 막걸리 보안법의 피해가 컸다. 무엇보다 검찰과 법원이 기소하고 유죄를 선고하는 데 주저하지 않았다는 점에서 검찰과 법원의 진지한 자기반성이 전제되어야 한다.

이렇듯 형사 절차와 관련한 인권의 신장, 과거 독재 정권하에서 잘못 선고되었던 판결을 바로잡는 일 등에 누구보다 민변이 앞장서고 있다.

민변의 결성과 발전 과정
———

민변이 만들어지기 전에도 인권 변호 또는 민권 변론은 면면히 이어졌다. 인권 변호사 1세대라고 해야 할 이병린 변호사에서 시작하여 이돈명(전 조선대 총장), 한승헌(전 감사원장), 조준희(전 언론중재위원회 위원장), 홍성우, 황인철 변호사 등이 1970년대 유신 시기 시국 사건 변론을 주로 담당했다.

1980년대에는 조영래, 이상수, 박성민, 박원순 등 '2세대' 변호사들이 시국 사건 변론에 적극적으로 참여했다. 이들은 망원동 수재 사건과 구로 동맹파업 사건 공동 변론을 계기로 1986년 5월 19일 '정의실현법조인회(정법회)'를 결성했다. 이 모임에는 강신옥, 고영구

(전 국정원장), 유현석, 이돈명, 이돈희(대법관 역임), 이해진, 조준희, 최영도, 하경철(전 헌법재판관), 한승헌, 홍성우, 황인철, 김동현, 김상철, 박성민, 박용일, 박원순, 서예교, 안영도, 유영혁, 이상수, 조영래, 하죽봉, 박연철, 박인제, 박찬주, 최병모, 김충진 변호사 등이 참여했다. 대한변호사협회 인권위원회를 통해 인권 변론 활동을 확대하면서 김근태 고문 사건, 부천서 성고문 사건 등 5공 몰락을 초래한 주요 사건을 변론하고 사회 쟁점화했다. 그리고 회원 중 이돈명 변호사(이부영 은닉), 이상수 변호사(대우조선 이석규 사망 사건 참가—장례식 방해, 1987년 8월), 노무현 변호사(부산 가두 집회—집시법 위반, 1987년 9월)는 구속되기도 했다.

1987년 대선에서 5·18광주학살의 주범이던 노태우가 대통령으로 당선된 직후인 1988년에는 젊은 변호사들을 중심으로 '청년변호사회(청변)'가 결성되었다. 이 모임에는 이석태, 김형태, 조용환, 유남영, 박용석, 임희택, 손광운 변호사가 참여하였고 기존 정법회 멤버였던 박원순, 임재연, 이원영, 박인제, 이양원, 백승헌 변호사도 함께했다.

이렇게 조금은 다른 경로로 만들어진 '정법회'와 '청변'은 몇 차례의 논의를 통하여 한국 사회의 민주화를 위하여 통합 활동이 필요하다는 합의에 이르렀다. 그리고 1988년 5월 28일 51명의 회원으로 민변이 출범하게 되었다.

그 당시의 분위기로는 변호사 단체 이름을 '민주사회를 위한 변호사모임'으로 정하는 게 쉽지 않았다. 굉장히 파격적인 이름이라는 평가를 받았다고 한다. 이 명칭은『전태일 평전』을 쓴 조영래 변호사의 제안으로 지어졌다고 한다.

민변은 출범 초창기에는 운동권 단체 취급을 받았다. 민변이 활동을 시작한 1988년은 1980년 군사 반란을 저지르고 국민을 학살한 주체들이 6공화국이라는 이름으로 권위주의 통치를 이어가며 국민의 자유와 기본권을 억압하고 있던 시기였다. 그때 민변은 권위주의에 저항하는 사람들을 보호하고 인권 상황을 개선하는 것을 절대적인 목표로 삼았다.

출범하자마자 박종철, 권인숙 사건 등 시국 사건 변론 요청이 폭주하였고, 임수경과 문익환 목사의 방북 사건 등 조력이 필요한 일들이 잇달아 일어났다. 사노맹과 서울사회과학연구소 사건 등 계속되는 국가보안법 위반 사건을 변론하였고, 윤석양 이병의 보안사 민간인 사찰 양심선언과 1991년 시위·분신 정국에서 일어난 강기훈 유서 대필 사건에서는 변론 활동 외에 진실 발견을 위한 노력에도 큰 힘을 기울였다.

이와 함께 법률 전문가로서의 특성을 살려 권위주의 시대의 악법을 청산하기 위하여 노력했다. 그리고 비슷한 시기에 조직되었던 민가협, 인의협 등 사회운동단체와의 연대를 통해 양심수 석방 등 현안에 대처하고 제도 개혁을 위한 대외 활동에도 힘을 쏟았다.

권위주의 정권 이후의 민변

———

문민정부라고 불렸던 김영삼 정부의 출범 후 형식적 민주주의가 일부 진전되었다. 그러나 여전히 다수의 악법이 유지되었고 공안기관에 의한 인권과 자유의 탄압 사례가 빈번했다.

민변은 1993년 안기부의 간첩 사건 조작 진상 조사, 1994년『한국 사회의 이해』 저자들에 대한 국가보안법 적용 사건 등 문민정부의 이름 아래 자행되는 반민주적 잔재를 고발하고 척결하기 위하여 동분서주했다. 그리고 변화된 사회 속에서 새로운 과제를 인식하고 적극적으로 대응하려 했다. 양심수 변론을 계속하면서도 연구 활동이나 다른 단체와의 연대를 통한 여론 형성, 대안 개발의 중요성을 인식하여 각 분과를 통한 연구·의견 발표 등에도 주력했다.

1995년부터는 형식적으로나마 진행되었던 김영삼 정부의 개혁이 주춤했다. 오히려 새로운 권위주의적 행태가 드러나고 군사독재의 과거를 청산하는 움직임도 좌절되었다. 민변은 이때부터 과거를 청산해야 할 중대한 기회라고 인식하여 검찰의 5·18 불기소 처분에 대한 헌법소원을 제기함과 동시에 5·18특별법 제정을 촉구하는 활동을 활발하게 전개했다. 또한 1996년 12월 26일 여당의 안기부법과 노동법 날치기 통과에 맞서 초유의 변호사 철야 농성을 벌이고 대국민 홍보 책자 『독재의 망령을 파헤치며』를 발간했다.

1998년 2월, 김대중 정부의 출범으로 헌정 사상 첫 여야 정권 교체가 실현되고 형식적인 민주화가 진전됨에 따라 시국 사건 변론이 민변 활동에서 차지하는 비중이 상대적으로 축소되었다. 우리 사회가 개혁적·진보적 법률가들에게 요구하는 역할의 지평을 넓히는 일이 점점 더 중요한 과제가 되었다. 내적으로도 매년 30~40명의 신입 회원 가입으로 300여 명으로 증가한 회원들의 관심 영역이 다양해졌고, 외적으로는 변호사 업무 환경의 변화와 함께 민변 외에도 다양한 시민단체가 급속히 성장하였다.

이 같은 상황 변화와 역할 다양화의 요구에 따라 민변은 인권단체로서의 위상을 유지·강화하면서 그 역량을 최대한 결집할 수 있는 분야로서 공익 소송 활동을 확대하는 방안을 모색하였다. 민변은 주요 상임위원회로 공익소송위원회를 설치하고, 초대 위원장을 이석태 회원으로 하여 김포공항 소음 피해 소송, 흡연 피해자 집단소송, 수해 피해 주민 집단소송 등 다양한 공익소송을 진행했다.

시민사회의 성장은 2002년 총선에서 '총선시민연대'의 결성과 혁혁한 활동 성과로 결실을 보게 되었다. 민변은 선거법 개정 연구와 헌법소원, 공천 무효 확인 소송 등 법률적 지원을 함으로써 이러한 흐름에 적극 동참하면서 시민사회 속의 전문가 단체로 자리매김

했다. 더 나아가 김대중 정부가 공언한 인권법 제정과 인권기구 설치가 올바르게 진행될 수 있도록 다른 시민단체들과 함께 '공동추진위원회'를 결성하고 인권법 공청회를 개최하는 등 노력을 아끼지 않았다. 2001년부터는 인권 주간 행사의 하나로 '한국 인권 보고 대회'를 개최하여 사회 각 분야의 인권 상황을 아우름으로써 인권이 일상적 주류 담론이 되어야 함을 역설했다.

새로운 시대, 민변의 역할

2002년 대통령 선거에서 민변 회원인 노무현 대통령이 당선되었다. 그리고 2004년에는 대통령 탄핵 사태의 여파가 미쳤던 국회의원 선거에서 개혁 세력이 약진했다. 사상 처음으로 개혁 세력이 국회 의석의 과반수를 점하기도 했다. 이 무렵 과거보다 많은 수의 민변 회원들이 국회로 진출하고 공직에 임명되어 정치에 직접 참여하면서 독립적인 시민단체로서의 민변의 위상에 대한 우려가 있었고 내외에서 많은 토론이 벌어지기도 했다.

한편 개혁 세력의 국회 과반수 석권으로 과거 독재 정권 시절의 적폐 청산과 민주적 법 제도 개혁에 대한 국민의 기대가 높아졌다. 국가보안법, 사립학교법, 과거사법, 언론관계법 등 이른바 4대 개혁 입법과 과거 청산 작업에 대해 전 사회적으로 치열한 공방이 진행되었다. 사법개혁위원회와 사법제도개혁추진위원회를 통해 형사소송법 개정, 국민참여재판 제도 도입, 법학전문대학원 설립 등 각종 사법제도개혁이 추진되었다. 이 같은 개혁 입법, 과거 청산, 사법개혁 등이 구체적으로 진행되는 과정에서 민변은 진보적 전문가 단체로서 구체적 대안을 개발하고 분명한 목소리를 내는 데 주저하지 않았다.

이명박 전 대통령이 추진한 미국산 쇠고기 전면 수입을 반대하는 운동이 전개되었을 때 민변이 큰 역할을 했다. 이 무렵에는 2016~2017년 촛불만큼은 아니었지만, 상당 기간 촛불집회 열기가 뜨거웠다. 이명박은 처음에는 국민의 목소리를 경청하는 듯한 태도를 보였다. 하지만 곧 강경 진압으로 돌아서서 많은 시위 참석자를 체포하여 형사처벌했다.

이 과정에서 민변은 인권보호감시단을 결성하여 촛불집회 현장에서의 경찰에 의한 인권 침해에 대처하였고 체포되거나 기소된 사람들에 대해 무료 변론을 전개했다. 그리고 민변에 대한 시민들의 성원과 후원이 들어왔고 회원도 늘었다.

한편 이명박 정부의 미국산 쇠고기 수입 전면 자유화가 대한민국이 검역 주권을 포기한 것이라는 주장도 있었는데, 이와 관련하여 민변 소속 송기호 변호사 등이 정부 관계자들과의 TV 토론을 벌이며 국제 통상 전문가로서의 면모를 유감없이 드러냈다. 이런 활동을 통해 진보적 전문가 집단으로서의 민변의 위상을 더욱 높였다.

그 후에 민변은 한미 FTA와 쇠고기 수입 졸속 협상, 비정규직법 제정, 이랜드 비정규직에 대한 부당 해고에 반대하는 활동을 벌였다. 그리고 김용철 변호사의 양심선언에서 촉발된 삼성그룹 비자금 조성과 불법 로비 사건의 고소·고발을 주도했다. 민변의 목소리와 법률적 조력이 필요한 현안에 적극 대응했다.

2010년을 전후로 하여 대한민국의 민주주의는 급격히 퇴보하는 모습을 보였다. 민변은 그 역행하는 흐름에 기꺼이 대항했다. 2009년에 용산 참사 사건에 대한 변론 활동, 2010년에 양심적 병역 거부자의 인권 문제에 대한 유엔 진정 활동을 했다. 2011년에는 제주 강정 해군기지 건설 반대 활동, 희망 버스 참여와 변론, 한미 FTA 반대 활동, 무상급식 주민투표 과정 참여, 일본 위안부 문제 대응 등을 펼쳤다. 2012년 '나꼼수' 표현의 자유 사건에도 참여했다.

2014년 세월호 참사 때는 발생 직후부터 특위를 구성하여 유가족을 지원하고 제대로 된 세월호특별법 제정을 위해 동조 단식에 나섰다. 사상 최악의 참사에 대응하여 진상 규명과 안전 사회 건설을 위한 활발한 활동을 계속했다.

이후로도 간첩 조작 사건 등 이명박·박근혜 정권의 반인권적 행태에 대해 감시의 눈을 거두지 않고 부정의와 불평등을 고쳐나가는 데 노력을 아끼지 않았다.

박근혜 대통령 탄핵 후 치러진 선거에서 문재인 후보가 당선되어 두 번째 민변 출신 대통령이 나왔다. 노무현 대통령 당선 때보다 더 많은 민변 회원들이 청와대나 정부 등에서 활동하게 되었다. 단지 민변 소속이어서가 아니라 진보적 가치관으로 무장하고 해당 분야에 대한 전문적 지식을 지닌 전문가로서 필요한 분야에서 자기 역할을 해줄 것으로 기대된다.

사적 이익보다는 공적 이익 추구를 위해 노력을 해왔던 민변이 문재인 정부의 성공과 우리 사회의 진정한 발전을 위해 더욱 힘을 보태며 역할을 하기를 기대한다.

변호사의 윤리

변호사는 살인자도 변호하나?

——

10여 년 전쯤이다. 서울대학교 법과대학 3학년 학생 3명이 나를 찾아왔다. 학교에서 배우는 과목 중에 '법조윤리'가 있는데 그 과목 교수님으로부터 "법조 3륜인 판사, 검사, 변호사를 만나 각 직업군에서 가장 강조되는 윤리 과제가 무엇인지 알아보고 리포트를 제출하라"는 과제를 받았다고 했다. 그중 변호사 윤리에 대해 질문하러 나를 찾아온 것이었다.

그 학생들과 오랜 시간 여러 가지 내용의 대화를 나누었는데, 한 학생이 나에게 인상적인 질문을 던졌다. "변호사님, 변호사는 살인자도 변호합니까?" 변호사 윤리와 관련한 민감한 문제를 압축적으로 던진 질문이었던 셈이다. 생각해볼 게 많은 질문이었다.

오랫동안 잊고 지냈던 질문이 다시 생각난 것은 2016~2017년 촛불집회와 대통령 탄핵 정국에서였다. 박근혜 대통령을 변호하는 변호사들이 연일 언론에 노출되는 것을 보면서 학생의 질문이 떠올랐다. '변호사는 살인자도 변호하나?'라는 질문이 가능하다면 '변호사는 박근혜도 변호하나?' 또는 '변호사는 최순실도 변호하나?'라는 질문도 해봐야 하는 게 아닌가 하는 생각이 들었다.

헌법 제12조는 "모든 국민은 신체의 자유를 가진다. 누구든지 법률에 의하지 아니하고는 체포·구속·압수·수색 또는 심문을 받지 아니하며, 법률과 적법한 절차에 의하지 아니하고는 처벌·보안처분 또는 강제노역을 받지 아니한다"라고 규정한 후 "누구든지 체포 또는 구속을 당한 때에는 즉시 변호인의 조력을 받을 권리를 가진다. 다만, 형사피고인이 스스로 변호인을 구할 수 없을 때에는 법률이 정하는 바에 의하여 국가가 변호인을 붙인다", "누구든지 체포 또는 구속의 이유와 변호인의 조력을 받을 권리가 있음을 고지받지 아니하고는 체포 또는 구속을 당하지 아니한다"라고 정하고 있다.

형사 절차에서 변호인의 조력을 받을 권리는 헌법상 권리이다. 또한 형사소송법은 피의자 또는 피고인은 변호인을 선임할 수 있다고 정하면서 피고인이 구속된 때, 미성년이거나 70세 이상의 피고인, 피고인이 농아이거나 심신장애의 의심이 있는 때, 사형, 무기 또는 단기 3년 이상의 징역이나 금고에 해당하는 사건으로 기소된 때 등에 변호인 없는 때는 국선 변호인을 선정하도록 함으로써 이들의 경우에는 변호인 없이는 재판 진행을 못하도록 정하고 있다.

이렇듯 변호인의 조력을 받을 권리는 헌법상 보장된 권리로서 두텁게 보호되는 것이고, 민사소송 절차에서도 소송의 당사자는 법률 전문가인 변호사를 소송 대리인으로 선임하여 법률적 도움을 받을 수 있다.

그렇게 본다면 살인자가 변호사를 선임하는 것, 박근혜 대통령 또는 최순실이 변호사의 도움을 받는 것은 당연히 보장된 권리로서 탓할 바 못 된다. 그런데 나는 왜 "변호사는 살인자도 변호하는가?"라는 질문이 생뚱맞게 들리지 않았을까? 변호사의 윤리와 관련해서 변호사가 해도 되는 일에는 일정한 한계가 있다는 사회적 인식 때문이다.

변호사가 할 수 있는 일의 한계

변호사로서 할 수 있는 일의 한계가 있다는 인식은 어떻게 하여 생긴 것일까. 우리 헌법은 변호인에 대해 직접 규정을 하고 있다. 박정희·전두환 정권 시절 광범위한 인권 침해, 신체의 자유에 대한 침해 등을 경험한 우리는 1987년 헌법을 개정하면서 특히 신체의 자유에 관하여 세밀한 규정을 두었고 그 과정에서 변호인의 조력을 받을 권리를 헌법상 권리로 강조했다. 헌법에서 변호인이라고 규정하고 있는데, 형사소송법 제31조에 "변호인은 변호사 중에서 선임하여야 한다. 단, 대법원 이외의 법원은 특별한 사정이 있으면 변호사 아닌 자를 변호인으로 선임함을 허가할 수 있다"라고 규정했다. 이 규정을 매개로 변호사는 인권 보호를 위한 보루로서 헌법상 지위를 부여받게 되었다고 볼 수 있다.

그리고 변호사의 헌법상 지위를 고려하여 변호사법 제1조는 "변호사는 기본적 인권을 옹호하고 사회정의를 실현함을 사명으로 한다", "변호사는 그 사명에 따라 성실히 직무를 수행하고 사회질서 유지와 법률 제도 개선에 노력하여야 한다"고 규정한다. 또한 제2조는 "변호사는 공공성을 지닌 법률 전문직으로서 독립하여 자유롭게 그 직무를 수행한다"라고 정했다.

변호사는 우리 사회에 존재하는 다양한 직업 중 하나이다. 하지만 신체의 자유라는 국민의 기본권 중 기본권 보장을 위한 헌법적 역할을 부여받은 법률 전문가로서 다른 직업에 비해 공공성이 특히 강조된다. 이 때문에 과거에는 국가기관인 사법연수원에서 변호사를 훈련시켜 배출했다. 지금도 변호사는 매년 일정 시간 이상의 공익 활동을 하도록 강제되어 있으며, 요구되는 만큼의 공익 활동을 하지 않으면 과태료 처분을 받기도 한다.

정리하면 공적 성격이 강한 직무의 특성으로 인해 변호사는 무엇이든 다 할 수 있는 것이 아니라 '해도 되는 일의 한계가 있다'라는 인식이 형성된 것이고, 이 점이 바로 법조 윤리의 하나로서 강조되고 있다.

처음 질문으로 돌아가보자. 변호사는 살인자도 변호하나? 이 질문의 답은 변호의 내용이 무엇이냐에 따라 달라진다.

먼저 살인죄로 기소된 피고인 스스로 살인을 하지 않았다고 주장할 때가 있다. 이런 경우 변호사는 기록을 면밀하게 검토하고 피고인 본인의 이야기를 꼼꼼하게 점검한 후 피고인의 말에 일리가 있다고 판단하면 무죄 변론을 하게 된다. 판사는 신이 아니므로 문제가 된 범행 현장에서 무슨 일이 있었는지 알 수 없다. 다만 기록에 드러난 전반적 사정을 고려하여 논리적 추론을 통해 공소 사실이 지적하는 것처럼 피고인이 살인을 저질렀다고 보는 것이 논리적인지 그렇지 않은지를 판단한다. 따라서 변호사가 무죄 변론을 한다는 것은 공소 사실에 대한 반대 사실의 논리적 추론을 통해 판사를 설득하는 과정을 의미한다. 설득에 성공하면 무죄 선고를 받게 된다. 치과 의사 모녀 살해 사건이나 재심에 이어 무죄 확정 판결이 선고된 삼례 나라슈퍼 3인조 강도 살해 사건 등은 무죄 변론에 성공한 사례이다. 이런 변론은 변호사가 마땅히 해야 하는 변론이라 할 수 있다.

　다음은 피고인 스스로 범행을 인정하면서 법원의 선처를 받기를 원하는 경우이다. 살인이라도 유형이 다양하다. 계획적 범행이 있고 우발적 범행이 있으며, 범행의 방식이나 동기 등에서 참작할 만한 점들이 존재할 때도 있다. 피해자가 피고인의 범행을 유발했다고 볼 여지가 있는 경우도 있다. 이럴 때 피고인에게 유리한 정상들을 판사들이 이해하기 쉽도록 법률적 용어로 정리하여 설명하는 일은 변호사가 해야 하는 일 중 하나가 된다.

　그리고 예컨대 아주 흉악한 범죄를 저지른 사람이라도 그 사람의 출생과 성장 환경 등에서 이 사회가 그를 범죄자로 성장하도록 내몬 측면이 있는 경우라면 범행 자체만 볼 것이 아니라 그를 범죄인이 되도록 방조한 국가와 사회의 책임을 들어 범인에 대한 선처를 요청할 필요도 있다. 이런 경우 역시 변호사의 변호가 필요한 영역이라 볼 수 있다.

　변호사가 살인자를 변호하는 것이 정당한지가 문제가 될 때는 의뢰인이 살인자임을 알면서도 살인자가 아니라고 변호하는 경우다. 나를 찾아온 법대생이 던진 질문은 말하자면 '피고인이 살인을 저질렀다는 사실을 뻔히 알면서도 수임료, 즉 돈을 벌기 위해 피고인이 죄를 저지르지 않았다고 거짓 변호 활동을 하는가?'는 취지이다.

　최소한 내가 아는 변호사 중에서는 그런 사람은 없다. 하지만 몇

만 명 변호사 중에 그런 사람도 있을 수 있다고 생각하던 중에 박근혜와 최순실 변호인단을 보면서 충격을 받았다. 내가 너무나 순진하게 생각해왔던 건 아닌지 돌아보게 되었다.

국정 농단 사건의 변호사들
——

민주공화국의 본질을 훼손한 대사건이라 할 만한 박근혜−최순실 국정 농단 사건의 와중에 등장한 변호사가 몇 명 있다. 맨 먼저 그 이름을 드러낸 사람이 이경재 변호사이다.

JTBC 보도로 최순실 게이트가 촉발된 이후 독일에 머물던 최순실은 한국에 있는 이경재 변호사를 선임했다. 이경재 변호사는 최순실의 귀국 과정에도 관여했는데, 최순실의 귀국 당일 '몸이 아프니, 조사를 하루 미루어달라'고 요청하여 외국에 있다가 귀국한 중요 피의자에게 하루 동안 시간을 주어 증거 인멸의 기회를 준 검찰의 조치를 끌어내기도 했다.

이후 이경재 변호사는 마치 최순실의 대변인처럼 기자들을 만나 최순실을 옹호하는가 하면 촛불집회를 두고 "집단 스트레스를 푸는 효과가 있다면 괜찮지만 오래 지속되어서는 안 된다"라고 말하고 "촛불집회는 질서가 지켜져야지 파괴적 시위가 되어서는 안 될 것"이라는 지극히 정치적 발언을 쏟아내었다. 이화여대 입학 특혜와 고등학교 출석 논란을 일으킨 정유라에 대해 "아직 세월 풍파를 견뎌낼 만한 나이가 아니다"며 "우리 사회가 이해할 만한 그런 아량이 있지 않나"라고 감싸는 등 일반 국민의 정서와는 너무나도 동떨어진 발언들을 계속했다.

이경재 변호사는 나중에 국정조사 증인에 대한 위증 교사 문제로 주목받은 이완영 국회의원과 함께 찍은 사진이 공개되기도 했는데, 최순실에 대한 공판 기일에서 결정적 증거에 해당하는 태블릿 PC의 증거 능력을 부인하기 위해 감정 신청을 하기도 했다.

이경재 변호사 다음 튀어나온 사람이 유영하 변호사이다. 최순실 국정 농단 문제가 처음 불거졌을 때 박근혜 대통령은 대국민 담화를 통해 검찰 수사는 물론 특검 수사도 성실히 받겠다고 밝혔었다. 하지만 막상 검찰이 대면 조사를 요구하자 태도가 돌변하여 변호사를 선임한 후 대응하겠다며 이를 거부했다. 이때 선임한 사람이 바로 유영하 변호사이다.

친박 정치인으로도 알려진 유영하 변호사는 검찰이 박근혜 대통령을 형사 피의자로 입건한 상태에서 "최순실에 대한 기소 때문에라도 2016년 11월 29일까지는 대통령에 대한 대면 조사를 해야 한다"고 요구한 데 대해 2016년 11월 28일 "대통령께서는 현재 급박하게 돌아가는 시국에 대한 수습 방안 마련 및 내일까지 추천될 특검 후보 중에서 특검을 임명해야 하는 등 일정상 어려움이 있다"

며 "변호인으로서는 어제 검찰에서 기소한 차은택 씨와 현재 수사 중인 조원동 전 경제수석과 관련된 부분에 대한 준비를 감안할 때 검찰이 요청한 29일 대면 조사에는 협조할 수 없어 유감스럽게 생각한다"는 문자 메시지를 보내 조사를 거부했었다.

범죄 혐의가 있어 조사하겠다는데 피의자가 특검 임명 때문에 바빠서 조사를 받을 수 없고, 심지어 변호인마저 다른 사건 때문에 바쁘다는 등의 말을 한 것으로서 시쳇말로 검찰을 '개무시'한 셈이다. 유영하 변호사는 기자들과 만난 자리에서 "여성 대통령의 사생활" 운운하며 자신이 변호하는 사람이 형사 피의자임을 까맣게 잊은 듯한 발언을 하기도 했다.

이후 박근혜 대통령에 대한 탄핵소추가 의결되자 탄핵심판 절차에 대응하기 위하여 대리인으로 선임된 변호사가 이중환, 손범규, 서성건, 채명성 변호사 등이다.

이중환 변호사는 검찰 출신에 예금보험공사 금융부실책임조사본부장과 헌법재판소 연구관을 지낸 경력이 있고, 손범규 변호사는 새누리당의 전신인 한나라당에서 부대변인과 원내부대표를 지냈고, 18대 국회에서 경기 고양시 덕양구갑에 출마해 국회의원을 지냈으나 19대, 20대 총선에서는 같은 지역에서 심상정 정의당 의원에게 밀려 낙선했다. 2004년 노무현 대통령 탄핵심판 사건 때 김기춘 당시 법사위원장의 법률 대리인으로도 활동한 경력이 있다.

서성건 변호사는 서울시 법률고문과 법조윤리협의회 사무총장을 거쳐 대한법률구조공단 기획부장을 지낸 경력이 있다. 채명성 변호사는 서울대 법대를 졸업하고 2010년부터 법무법인 화우에서 근무하다가 대리인단에 합류하기 위해 퇴사했다고 알려졌다.

이후 박근혜 대통령은 2016년 12월 21일 기존 4명이던 탄핵심판 대리인단에 전병관, 박진현, 황성욱, 이상용, 서석구 변호사 등 5명을 추가로 선임했다. 대리인단은 총 9명으로 늘었다. 이 중 전병관 변호사는 사법연수원 22기로 서울남부지방법원 부장판사를 역임하였는데 수원지방법원 부장판사로 재직할 당시 헌법재판소에 파견되어 근무한 사실이 있다. 서석구 변호사는 사법연수원 3기 출신으로 판사 출신인데 보수적 성향으로 알려져 있다. 황성숙 변호사는 사법연수원 42기, 박진현 변호사는 변호사시험 2회 출신으로 알려졌다.

탄핵심판 대리인단은 헌법재판소에 국회의 탄핵소추서에 대해 답변서를 제출하면서 기존 검찰 수사를 통해 어느 정도 확인된 사실마저 부인하고 사건 전반에 관한 설명이나 법리 해석의 측면에서 일반 법조인들의 견해와는 완전히 다른 주장을 펼쳐 문제가 되었다. 특히 최순실을 '키친 캐비닛'이라고 하거나 최순실의 행위를 근거로 박근혜 대통령에 대한 탄핵을 추진하는 것은 연좌제를 금지한 헌법 규정 위반이라고 주장한 대목에서는 대부분의 법조인이 실소를 금치 못했다.

반공주의에 근거하여 정치적 반대자들을 물리치고 그 반대자의 친족들마저 공직 진출을 금지하는 등 연좌제를 가장 강력하게 운영했던 사람이 박근혜 대통령의 아버지 박정희인데 그 딸이 이치에 맞지도 않게 연좌제를 들먹인 것이다. 친족 관계도 아닌 최순실의 문제에 관하여 연좌제 운운하는 것도 말이 안 된다. 무엇보다 최순실의 범죄 행위 때문에 박근혜를 탄핵하는 것이 아니라 박근혜 대통령이 최순실과 공모하여 헌법과 법률을 위반하였다는 이유로 탄핵소추가 된 것임을 고려하면 위 주장은 말 그대로 어불성설이다.

이 답변서에 대해 검사 출신으로서 더불어민주당 국회의원인 금태섭 의원은 "그래도 대한민국 대통령의 탄핵소추 사건에 대해 대리인들이 쓴 답변이라 보기에는 너무나도 수준 이하다. 사실과 다르다거나 법률 이론을 달리하는 걸 떠나서 어디 내놓기 부끄러운 수준이란 느낌을 받았다"면서 답변서가 탄핵 기각을 목적으로 작성되었다기보다는 시간을 끌고 지연시키기에 주안점을 둔 것이란 분석을 내놓기까지 했다. 변호사들이 양심에 반하여, 사실을 알고도 거짓으로 호도하거나 다른 목적 즉, 시간을 끌기 위하여 사건을 다른 방향으로 돌렸던 것이다. 말하자면 살인 사건 피고인의 변호인이 피고인이 살인을 저질렀다는 사실을 알면서도 거짓으로 변호

활동을 하는 것과 비견할 수 있다.

박근혜 대통령과 최순실을 위해 변호사의 이름으로 일했던 이들은 의뢰인을 위한다는 명목으로 사회적으로 허용된 범위를 벗어나 공개적으로 거짓으로서 진실을 덮어보겠다는 의도를 드러내었다. 이것은 사회가 변호사에게 요구하고 있는 사회정의 실현의 요청을 정면으로 어긴 것으로 보아야 한다.

나는 변호사로서 자문해본다.

변호사가 박근혜와 최순실이 죄를 저지른 것이 명백하다는 점을 잘 알면서도 돈을 벌기 위하여 또는 향후 얻을 정치적 이익을 위하여 사실과 명백히 다른 거짓 주장으로 법원이나 헌법재판소를 호도하는 것은 허용되는가?

그리고 자신의 이익만을 위해 지역 주민의 고통을 외면하고 범죄와 불법이 자명한 권력자나 기업을 옹호하는 변호사의 행위는 '변호'라는 미명으로 존중받을 수 있는가?

독재의 유산, 국가보안법

역사의 상처

———

전남 동부 지역은 특히 국가보안법에 예민하다. 여순사건의 역사적 상처 때문이다. 여순사건의 전개와 실상, 역사적 평가 등에 대해서는 앞에서 설명하였다. 여순사건은 이후 전남 동부 지역 전체를 이념적으로 옭아매는 계기가 되었다. 당시 좌우익을 막론하고 엄청난 사람들이 상대 진영으로 낙인찍혀 죽어야 했다. '빨갱이'로 낙인찍히면 곧 죽음을 맞는 현실을 목격한 이 지역 사람들은 이후로도 오랫동안 정치적 목소리를 낼 수 없었다. 특히 오랜 이웃이 상대방을 고발하여 죽음에 이르게 하는 일이 조그만 동네에서도 빈번하게 일어나다 보니 서로를 믿지 못하는 풍조가 생겼다.

한국전쟁 이후에도 이러한 고발과 처벌이 이어지면서 수많은 사람이 '막걸리 보안법'으로 죽어갔다. 빨갱이로 몰려 전 가족이 몰살당하는 아픔을 겪은 집도 있고, 형제 중 한 명은 빨치산으로 다른 한 명은 국군으로 있다가 사망한 가족도 있다. 우리 가문도 이런 상처를 안고 있다.

상당수의 사람은 자신의 가족이 빨갱이로 몰려 죽었다는 사실을 입 밖으로 내지 못하고 죽음의 원인을 함구한 채 몇십 년을 살아야 했다. 이러다 보니 이 지역 사람들이 특히 반공법, 국가보안법 등에 대해 민감하게 반응할 수밖에 없었다.

반공법의 억압

———

지금은 국가보안법만 있지만, 예전에는 반공법이 악명을 떨쳤다. 반공법은 박정희가 군사 쿠데타를 일으킨 후 설치한 국가재건최고회의가 1961년 7월에 제정한 법률이다.

법률의 목적을 "국가재건과업의 제1 목표인 반공체제를 강화함으로써 국가의 안전을 위태롭게 하는 공산계열의 활동을 봉쇄하고 국가의 안전과 국민의 자유를 확보함을 목적으로 한다"라고 규정한 이 법은 정치적 반대자를 처벌하는 대표적 악법이었다. 김대중, 문익환, 한승헌 등 많은 민주 인사가 반공법 위반으로 처벌을 받았다. 특히 반공법 위반 등으로 대법원에서 사형이 확정된 후 단 하루 만에 사형이 집행되었던 제2차 인민혁명당(인혁당) 재건위 사건은 전 세계적으로도 유명하다. 제2차 인혁당 사건은 이후 재심이 개시되어 2017년 1월에 무죄가 선고되었다.

반공법은 전두환 등 신군부의 군사 쿠데타 후 설치된 국가보위입법회의(국보위)에서 1980년 12월 31일 폐지되었다. 국가보안법으로 규율해도 충분하다는 의견을 반영한 것이었다. 국가보안법은 반공법보다 먼저 만들어진 법률이다. 1948년 12월 1일에 제정되었다.

국헌을 위배하여 정부를 참칭하거나 그에 부수하여 국가를 변란할 목적으로 결사 또는 집단을 구성한 자를 처벌하는 것을 목적으로 제정된 법률이다. 목적 조항을 포함하여 모두 6개의 조문으로 이루어졌었다. 그런데 개정할 때마다 조문 숫자가 늘어났고, 반공법을 폐지한 날 통과된 개정 국가보안법에서 현재와 같은 체계를 갖게 되었다.

국가보안법의 구성과 개정

———

국가보안법은 '정부를 참칭하거나 국가를 변란할 것을 목적으로 하는 국내외의 결사 또는 집단으로서 지휘통솔체제를 갖춘 단체'를 반국가단체로 정의한 후 반국가단체를 구성하거나 이에 가입하는 등의 행위, 반국가단체의 구성원 또는 그 지령을 받은 자의 목적 수행을 위한 행위, 반국가단체나 그 구성원 또는 그 지령을 받은 자를 지원하거나 지원 목적으로 금품을 수수하는 행위, 반국가단체의 지배에 있는 지역으로부터 잠입하거나 그 지역으로 탈출하는 행위, 반국가단체나 그 구성원 또는 그 지령을 받은 자의 활동을 찬양·고무·선전 또는 이에 동조하거나 국가변란을 선전·선동하는 행위, 반국가단체의 구성원 또는 그 지령을 받은 자와 회합·통신 기타의 방법으로 연락을 하는 행위, 위와 같은 행위에 편의를 제공하는 행위, 국가보안법 위반죄를 저지른 사실을 알면서도 이를 수사기관 또는 정보기관에 고지하지 아니하는 행위 등을 처벌하도록 정하고 있다.

국가보안법을 정부나 국회가 스스로 개정한 사례는 별로 없다. 주로 국가보안법 위반 사건에서 해당 조항에 대한 헌법소원이 이루어지고 이에 대해 헌법재판소가 위헌 결정을 하면 그 후 법률을 개정하는 식이었다. 현재도 마찬가지 비판이 있지만, 과거 국가보안법은 독재 정권을 유지하는 대표적 악법이었다. 정치적 반대자들을 국가보안법 위반으로 처벌함으로써 제거했던 것이다. 1980년대 민주화운동을 하던 상당수의 사람이 국가보안법 위반으로 구속되었다. 독재 정권에 반대하면서 한 모든 주장을 북한의 주장에 동조하거나 북한을 찬양하는 것으로 몰아 처벌했다. 당시의 국가보안법은 각 규정이 지나치게 광범위해서 말 그대로 이현령비현령의 법 운용이 가능했다. 북한을 다녀왔더라도, 독재 정권에 저항하던 사람은 국가보안법상 잠입·탈출죄로 처벌하고 정권에 우호적인 사람은 처벌하지 않았다.

이후 헌법재판소가 국가보안법의 지나치게 포괄적인 규정에 대해 위헌 결정을 함으로써 현재에는 반국가단체인 북한에 갔다가 오는 것을 의미하는 잠입·탈출죄, 찬양·고무·동조 등의 죄, 반국가단체 구성원 또는 그 지령을 받은 자와의 회합·통신죄 등은 모두 "국가의 존립·안전이나 자유민주적 기본질서를 위태롭게 한다는 정을 알면서" 하는 경우만 처벌하도록 법률이 개정되었다.

예전에는 "국가의 존립·안전이나 자유민주적 기본질서를 위태롭게 한다는 정을 알면서" 했는지를 묻지 않고 찬양·고무를 처벌했기 때문에 막걸리 보안법 피해자가 양산되었다. 예를 들어 어선이 풍랑 때문에 조난되어서 북한에 갔다가 온 경우에도 그 어부 중 고분고분한 사람은 봐주고 조금 삐딱하게 굴면 국가보안법 위반죄로 기소해버리곤 했다. 또한 남한의 독재 정권을 비판하면서 "남한이 북한보다 나은 게 뭐냐?"는 등의 발언을 한 경우에도 과거에는 국가보안법 위반으로 처벌할 수 있었는데, 지금은 국가의 존립·안전이나 자유민주적 기본질서를 위태롭게 한다는 인식이 없으면 처벌할 수 없게 되었다.

반국가단체

국가보안법 사건에서 유일하게 인정되는 반국가단체는 조선민주주의인민공화국, 즉 북한이다. 그런데 과연 북한을 반국가단체로 보는 것이 타당하느냐에 대해서 여러 의견이 있다. UN 가입국으로서 국제법상 국가로 인정되는 북한을 분단의 한 당사자의 시각으로서 반국가단체로 보는 것은 옳지 않다는 주장이 있다. 특히 2000년 6·15공동선언 이후 남북 간에 광범위한 교류와 협력이 이루어지면서 북한을 반국가단체로 규정한 법체계에 대한 비판이 많이 늘었다.

대법원과 헌법재판소는 "지금의 현실로는 북한이 여전히 우리나라와 대치하면서 우리나라의 자유민주주의 체제를 전복하고자 하는 적화통일노선을 완전히 포기하였다는 명백한 징후를 보이지 않고 있다"라고 하면서 "북한은 조국의 평화적 통일을 위한 대화와 협력의 동반자임과 동시에 적화통일노선을 고수하면서 우리의 자유민주주의 체제를 전복하고자 획책하는 반국가단체의 성격도 아울러 가지고 있다고 보아야 하므로, 남·북한의 정상 사이에 회담이 성사되고, 남·북한 사이의 교류와 협력이 이루어지고 있다고 하더라도 대한민국의 안전을 위태롭게 하는 반국가활동을 규제함으로써 국가의 안전과 국민의 생존 및 자유를 확보함을 목적으로 하는 국가보안법의 규범력이 상실되었다고 볼 수는 없다"라고 판단하고 있다. 북한이 반국가단체로서의 성격과 조국의 평화적 통일을 위한 대화와 협력의 동반자로서의 성격을 모두 지니고 있다고 본 것이다.

남한과 북한의 왕래·접촉·교역·협력 사업 및 통신 역무의 제공 등 남한과 북한 간의 상호 교류와 협력을 목적으로 하는 행위를 규율하기 위해 '남북교류협력에 관한 법률'이 제정되어 있으므로 이 법과 국가보안법의 관계가 쟁점이 되기도 한다. 대법원은 북한과의 왕래가 남북교류협력에 관한 법률 조항에 해당되어 국가보안법의 적용이 배제되기 위하여는 우선 그 왕래가 남북교류와 협력을 목적으로 하는 것이라야 한다고 해석하고 있다. 그런 목적이 증명되지 않으면 국가보안법을 적용할 수 있다는 뜻이다.

국가보안법 폐지 노력

———

오래전부터 국가보안법 폐지 주장이 있었고, 노무현 정부 시절 열린우리당은 실제 국가보안법 폐지 법률을 발의하기도 했다. 하지만 검찰과 법원은 국가보안법 폐지 주장 자체가 미군 철수 등의 주장과 마찬가지로 북한의 주장에 동조하는 것으로 보아 국가보안법상 동조죄로 처벌하였다.

문재인 정부의 첫 법무부 수장으로 박상기 장관이 임명되면서 색깔 공세가 쏟아졌다. 박상기 장관이 과거에 국가보안법 폐지 주장을 했다는 이유에서였다.

박상기 장관은 2004년 9월 《서울신문》에 기고한 「국가보안법과 한국인의 의식」이라는 글에서 "이제 진정으로 자유롭게 사고하고 주체적으로 판단하는 국민을 가진 사회를 이룩하려면 국가보안법이라는 자유 사고에 대한 족쇄는 사라져야 할 것"이라고 주장하면서 "한국 사회가 바뀌었고 남북 관계도 그동안 상상할 수 없을 만큼의 진전이 있었음을 부인할 수 없다"며 "법의 존재 형식에 의문을 제기하는 것이 합리적 사고라고 할 수 있다. 56년의 세월이 가져온 정치적·사회적 변화를 부정할 수는 없을 것이기 때문"이라고 밝혔다. 그러면서 박 장관은 "이 법의 존재로 한국인의 의식 세계에 사상의 자기 검열이라는 인식 체계가 자리 잡게 됐다"며 "국가안보가 특별법 조문 몇 개로 튼튼하게 지켜질 수 있는 것은 아니다. 인간에게 기본적 권리가 보장되는 사회를 희망하고 사랑하는 구성원이 다수일 때 국가안보는 지켜질 수 있다"고 썼다.

박상기 장관의 이 글은 당시의 시대상을 반영하는 측면이 있다. 참여정부는 사립학교법, 국가보안법 폐지 등을 4대 개혁 입법으로 추진했고 실제 열린우리당이 국가보안법 폐지 법률을 발의하기도 했다. 당시 노무현 전 대통령은 TV에 출연해 국가보안법을 "지금은 쓸 수도 없는 독재 시대에 있던 낡은 유물"이라고 규정하고 "국민이 주인이 되는 국민 주권 시대, 인권 존중의 시대로 간다면 그 낡은 유물은 폐기하는 게 좋지 않겠나, 칼집에 넣어 박물관으로 보내는 게 좋지 않겠나"라는 의견을 밝히기도 했다. 그러나 국가보안법을 포함한 4대 개혁 입법은 야당인 한나라당이 강하게 반발하여 단 하나도 관철하지 못했다.

폐지되어야 할 악법

———

나는 국가보안법이 폐지되어야 한다고 본다. 그 근거를 세 가지로 들 수 있다.

첫째, 국가보안법은 정치적 반대자를 제거하는 수단으로 기능해 왔다. 그리고 이것은 법의 존재 자체로부터 발생하는 문제로서 법을 잘 운용한다고 하여 없어지는 문제가 아니다.

둘째, 국가보안법은 우리 헌법이 보장하는 사상의 자유, 학문의 자유, 표현의 자유를 근본적으로 제약한다. 북한보다 체제적으로 완전히 우위를 점한 한국 사회라면 다양한 의견과 견해가 표출되고 그것이 지식 시장의 자정 기능에 의해 정리되도록 놓아두어도 국가의 안보에 장애가 되지 않는다. 그런데도 국가보안법으로 인해 한국인의 의식 세계에 사상의 자기 검열이라는 인식 체계가 자리

잡게 됐다.

셋째, 국가안보에 문제가 되는 범죄는 이미 형법에도 다 들어 있어서 국가보안법이라고 하는 특별법이 존재할 이유가 없다. 우리 형법은 제정 당시부터 내란죄, 내란 목적의 살인죄, 외환유치죄, 여적죄, 각종의 이적죄, 간첩죄, 전시 군수 계약 불이행죄 등을 두고 있다. 형법의 이 규정들을 통해서도 국가안보를 위협하는 범죄에 대한 처벌은 얼마든지 가능하므로 국가보안법이 존재할 이유가 없다.

새로운 시대를 맞아 독재 권력 유지를 위해 악용되던 낡은 법체계로 국민의 사상과 양심을 억압할 필요가 없다. 형법으로 충분히 막을 수 있는데도 국가보안법을 고수하려는 데에는 정치공학적 계산이 숨어 있다. 여기에 국민의 막연한 불안감이 맞물려 있다. 국가보안법 폐지는 그 자체로 새로운 시대를 여는 상징이 될 것이다.

유전무죄
무전유죄

진경준 일부 무죄 판결

———

2016년부터 진경준이라는 이름이 매스컴을 뜨겁게 달구었다. 그가 유명해지기 시작한 이유는 공직자치고는 꽤 많은 재산 때문이다. 공직자윤리위원회가 2016년 3월 고위공직자 재산 현황을 공개했는데, 검사장급인 진경준 법무부 출입국외국인정책본부장의 재산이 156억 5,609만 원으로 법조계 고위직 214명 가운데 가장 많았다. 특히 1년 사이에 36억 6,732만 원의 재산이 늘어 정부 공직자윤리위 공개 대상자 1,813명 중 최고 증가 기록을 세웠다. 처음에는 재테크 실력이 뛰어난 법조 고위직 공무원의 출현 정도로 치부됐었다. 하지만 진 검사장의 재산 증가 비결이 넥슨재팬의 주식

80만 1,500주를 약 126억 원에 매각했기 때문인 것이 밝혀지면서 의혹이 제기되었다.

사건의 내막은 이렇다. 진 검사장은 2005년 온라인 게임업체인 넥슨의 비상장 주식 1만 주를 4억 2,500만 원에 사들였다. 그 당시는 넥슨이 〈바람의 나라〉, 〈메이플 스토리〉, 〈카트라이더〉 등을 잇달아 흥행시키면서 국내 최대 게임업체로 부상한 때였다. 넥슨 비상장 주식은 아무나 살 수 없는 '귀한 주식'이었고, 상장 전 넥슨 주식은 김정주 회장이 거래에 직간접적으로 관여했기 때문에 회사 초기 멤버나 일부 투자자를 제외하고는 넥슨 비상장 주식을 보유하고 있는 사람이 없었다. 그런데 진 검사장의 주식 매입 대금을 넥슨이 제공했다. 말하자면 넥슨의 김정주 회장이 진 검사장에게 넥슨 비상장 주식 1만 주를 공짜로 준 셈이다. 진 검사장은 1년 뒤 이 주식을 10억 원에 넥슨에 되팔아 자신의 돈 한 푼 들이지 않고 10억 원을 챙겼다.

이후 김정주 회장은 일본 증시에 상장할 예정이던 넥슨재팬 주식 8,537주(액면 분할 후 85만 3,700주)를 주당 8,500엔(당시 환율 기준 10만 원), 총 8억 5,370만 원에 진 검사장에 넘겼다. 진 검사장은 이렇게 받은 넥슨재팬 주식을 2015년에 전량 주당 약 1,500엔에 매각해 총 126억 원의 시세 차익을 올렸다.

넥슨의 김정주 회장은 진 검사장의 대학 동기인데, 넥슨재팬의 주식을 넘길 즈음 진 검사장은 서울중앙지방검찰청 금융조세조사 2부 부장검사였다. 이 점이 드러나면서 여론이 들끓었다. 이에 대해 진 검사장이 거듭 거짓 해명을 함으로써 사태는 더욱 커졌다. 결국 진 검사장은 현직 검사장으로서는 사상 처음으로 구속되는 결과를 맞았다. 김정주 회장이 비용을 대 해외여행을 다녀왔다는 등의 의혹도 많았지만 가장 큰 의혹에 해당하는 넥슨재팬 주식과 관련하여 검찰은 김정주 회장이 진 검사장에게 넘긴 넥슨재팬 주식 8,537주를 뇌물로 본 것이다.

진경준 검사장의 뇌물 사건은 진 검사장이 거간꾼 노릇을 해, 우병우 당시 청와대 민정수석 처가의 1,300억 원대 강남 부동산을 넥슨이 사주도록 했다는 의혹이 더해지면서 박근혜 정부에 큰 부담을 준 사건으로 비화되었다.

그리고 진경준에 대한 재판이 진행되었다. 1심은 공짜 주식을 포함해 김 대표에게서 받은 모든 금품을 뇌물로 보지 않고, 제3자 뇌물 혐의만 인정해 징역 4년을 선고했다. 2심은 김 대표에게 받은 공짜 주식 대금, 제네시스 차량 명의 이전료, 여행경비까지 뇌물로 판단해 징역 7년을 선고했다. 그러나 대법원은 달리 판단했다. 진 검사장이 받은 주식과 각종 금품을 무죄로 보았다. 진 전 검사장은 공짜 주식을 팔고 얻은 120억대 차익을 지켰으며 주식과 금품을 준 김 대표의 뇌물 공여 혐의도 모두 무죄가 되었다.

다만 한진그룹 내사 사건을 종결시킨 대가로 처남에게 147억 원 상당의 용역을 주도록 한 혐의만 유죄로 인정되어 징역 4년을 받았고 대법원에서 확정되었다.

진경준 게이트의 일부 무죄 판결은 재벌과 권력층, 특히 판검사에 대한 법원의 판결이 유독 관대하다는 대중의 인식을 한층 더 짙게 만들었다.

정의와 관대함의 기준은?

———

진경준 사건과 관련해서 인상적인 기사를 읽었다. 그가 평검사 시절인 20여 년 전 암표상을 구속 기소한 적이 있다는 내용이다. 휴가철을 앞두고 미리 사둔 6,000원짜리 표를 1만 원에 팔아서 4,000원의 이익을 얻은 40대 회사원을 구속한 것이다. 그는 구속 이유를 밝히며 "암표 판매 행위는 피서객이나 귀향객들의 심리를 이용해 부당 이득을 올리는 나쁜 범죄"라며 "휴가철을 앞두고 암표상들에게 경종을 울리기 위해 구속 기소했다"고 말했다.

젊은 검사의 기개와 정의감이 느껴지는 것 같기도 하지만, 씁쓸한 마음이다. 《한국일보》의 한 칼럼은 이 기사를 거론하면서 이렇게 정의감이 넘치던 젊은 검사가 왜 20년의 세월이 흘러서 변할 수밖에 없었는지를 추적하기도 했다.

그러나 4,000원의 부당 이득을 얻은 사람을 구속시켰던 검사가 자신은 120억 원의 돈을 거리낌 없이 뇌물로 받고, 그것이 무죄 판결을 받는 현실은 도무지 이해할 수 없다. 이 사태는 정의감 넘치고 결기 있던 검사가 세월이 흐름으로써 때가 묻어 변했기 때문에 생긴 것이 아니다. 수사권과 기소권을 독점적으로 보유한 검사가 그 막강한 권한을 행사할 때 자신과 타인에 대한 기준을 달리 두었기 때문일 것이다.

진경준은 지금도 4,000원의 부당이득을 한 40대 회사원을 구속한 것은 정당하고 자신이 넥슨 김정주 회장으로부터 주식을 받은 것은 문제가 되지 않는다고 믿을 것이다. 그리고 법원은 그의 생각이 옳다는 최종 판단을 내려주었다.

변호사가 법률 사건의 수임에 관하여 알선의 대가로 금품을 제공하거나 약속하면 형사처벌을 받는다. 흔히 외근 사무장이라고 부르기도 하는 브로커가 사건을 물어오는 대가로 돈을 주면 형사처벌을 받도록 규정되었다. 변호사법에서 엄격히 금지하고 있음에도 불구하고 법조 단지 주변에는 브로커들이 많이 있는 것도 사실이다. 수요가 있기 때문에 이들이 잘 근절되지 않는다. 검찰에서는 간간이 브로커 사건을 수사한다. 다른 사건을 수사하다 브로커 문제가 불거지는 경우가 아니라도 정기적으로 수사를 하여 브로커를 구속 기소하기도 하고 변호사를 기소하기도 한다. 법의 수호자로서 검찰이 당연히 해야 하는 일이다.

그런데 검사를 하다가 퇴직하여 변호사 개업을 하는 전직 부장 검사 중에는 법조 브로커를 두는 사람들이 많다. 그리고 그렇게 하는 것을 너무나 당연히 여긴다. 자신이 검사로서 수사할 때에는 피의자에게 엄격한 도덕성을 요구하고 불타는 정의감을 드러내면서 막상 자기가 당사자가 되면 불법 여부 판단을 너무도 온정적으로 하는 것이 바로 진경준 사건에서 발견할 수 있는 공직자의 씁쓸한 모습이 아닐지 생각해본다. 막강한 공권력을 행사하는 공직자이기에 그 씁쓸함이 더욱 크다.

삼례 나라슈퍼 강도살인 사건 재심

———

진경준 사건으로 언론이 떠들썩하던 2016년 7월 8일, 전주지방법원에서 굉장히 의미 있는 재판이 열렸다. 삼례 나라슈퍼 3인조 강도살인 사건의 재심이 결정되었다. 사건의 범인으로 지목된 사람 3명이 징역 6년에서 4년까지 선고받고 그 징역형을 다 살았는데, 사건이 일어난 지 17년 만에 종래 법원의 판결에 대해 재심 결정이 난 것이다.

1999년 2월 6일 새벽 4시, 전라북도 완주군 삼례읍 소재 나라슈퍼에 3인조 강도가 들었다. 이들은 잠들어 있던 30대 아들 부부와

77세 노모를 흉기로 위협한 후 청테이프와 넥타이로 팔과 다리를 묶은 후 물건을 빼앗았다. 이때 강도들이 입과 코를 모두 청테이프로 막아서 할머니가 질식사했다. 다급해진 3인조는 물을 떠 와 얼굴에도 뿌리고 인공호흡까지 했지만, 할머니는 사망했고 3인조는 모두 도망가버렸다.

사건이 일어나자 경찰은 수사에 착수했고 사건 발생 9일 만에 당시 만 20세, 19세였던 그 지역 청년 3명을 용의자로 검거했다. 그런데 이들 세 명은 태어나서 한 번도 완주군을 벗어나 본 적이 없고, 지적장애인으로 자신의 의사를 제대로 표현하지 못했으며 궁핍한 가정 형편으로 가족이나 친지의 도움을 받을 수 없다는 공통점이 있었다.

피해자였던 30대 아들 부부가 "사건 당시 할머니가 질식사하자 당황한 3인조가 서로 무슨 말인가 주고받았는데, 그 목소리가 경상도 특유의 억양이 진득한 작고 가는 목소리였다"고 진술하였지만, 태어나서 완주군을 한 번도 벗어나 본 적이 없는 이 3인조는 일사천리로 경찰과 검찰의 수사를 받고 법원의 재판까지 받아 유죄판결이 선고되었다. 그중 한 명이 상고하였으나 대법원이 기각함으로써 그냥 유죄로 확정되었다.

대법원의 상고 기각으로 판결이 확정된 지 한 달 정도 지난 후 부산지방검찰청에 "삼례 나라슈퍼 3인조 강도살해 사건의 진범은 부산에 사는 또 다른 사람들이다"라는 제보가 접수되었다. 부산지검은 즉시 내사에 착수해 그 제보가 사실임을 확인했다. 불려온 3명은 자신들이 범인이라고 순순히 자백했고, 나라슈퍼에서 빼앗겼던 패물을 판매한 장물업자도 확인되었다. 세 사람의 사건 당시의 정황에 대한 진술이 대부분 일치했고, 강탈해간 현금 액수도 피해자의 진술과 같았다. 무엇보다 그들이 사용한 사투리, 억양이 피해자인 30대 아들 부부의 진술 그대로였다. 부산의 3인조는 "왜 이제 자백하느냐"는 질문에 "밤마다 할머니 얼굴이 떠올라 너무 괴로웠습니다"라고 밝히기도 했다.

진범이 잡혔으니 잘못된 재판을 바로잡으면 될 것으로 보였다. 그런데 부산 3인조를 인계받은 전주지검 검사는 이 부산 3인조를 한 차례 조사한 후 "부산 3인조의 진술에 신빙성이 없다"며 이들을 무혐의 처분하고 석방하고 말았다. 검사의 이러한 처분에 대해 가장 크게 놀란 사람은 처벌을 각오하고 진실을 밝힌 부산 3인조였다. 한마디로 어이가 없었다고 한다. 이들이 기자에게 밝힌 바로는 당시 무혐의 처분을 하고 석방하던 전주지검 검사가 이 3명에게 "교도소에 있는 것만이 처벌받는 것은 아니다. 너희들이 나간다고 해서 떳떳한 것은 아닐 것이다"고 말했다고 한다.

이렇게 해서 묻힌 사건에 대해 재심 결정이 내려졌다. 그리고 2016년 10월 28일, 전주지방법원 제1형사부에서 열린 재심 판결에서 강도살인 혐의로 복역했던 3명은 무죄 선고를 받았다. 그리고 검찰이 항소를 포기함으로써 무죄가 확정되었다. 이후 2017년 6월 9일, 억울하게 감옥살이를 한 세 사람에게 3억 800만 원에서 4억 8,400만 원까지 총 11억여 원의 형사보상 금액을 결정하였다.

3명의 젊은이를 억울하게 만든 당사자인 담당 검사는 어떤 처벌을 받았을까? 대검찰청 진상 조사 결과 검사 책임은 없다는 결론이 나왔다. 그리고 사건 당시 담당 검사였던 최 모 변호사는 본인이 수사했던 세 사람을 상대로 3,000만 원을 배상하라며 손해배상 청구소송을 냈다. 세 사람이 언론 인터뷰 등에서 자신을 부당하게 비난해서 명예가 훼손되었다는 이유에서였다.

그에게서 도덕적으로나 법률적으로 책임을 지고 정의를 추구해야 할 법조인의 모습을 찾아보기 어렵다.

공권력의 행사가 얼마나 엄중해야 하는지, 얼마나 철저해야 하는지를 깊이 생각한다. 자신에게는 관대하고 약한 사람에게 정의의 칼을 휘두르는 진경준 같은 검사들은 이 사건을 어떻게 받아들일지 궁금하다.

법이
소년을 대하는 태도

소년의 기준

———

인천 초등학생 살해 사건, 부산 여중생 폭행 사건 등이 사회적 이슈가 되면서 소년법을 개정하자는 등 다양한 주장이 나오고 있고, 그에 대한 논쟁이 격렬하다.

우리 법률은 성인과 소년을 다르게 대하고 있다. 그런데 법률은 통일된 개념을 쓰고 있지 않다. 청소년, 아동 등 다양하게 부른다. 법률마다 입법 목적에 따라 각기 용어를 사용한다.

몇 가지 예를 들면 청소년기본법에서는 청소년을 9세 이상 24세 미만의 사람으로 정의하며 청소년보호법은 "청소년이란 만 19세 미만인 사람을 말한다. 다만, 만 19세가 되는 해의 1월 1일을 맞이한 사람은 제외한다"라고 정하고 있다.

소년법은 19세 미만의 사람을 소년으로 칭하고, 아동·청소년의 성보호에 관한 법률에서는 19세 미만의 사람을 아동·청소년이라 부른다.

이렇듯 법률마다 용어가 다르고 그 대상이 되는 나이도 다르게 정하고 있는데, 가장 보편적 기준은 19세 미만이라 보면 된다.

'미성년자'라는 용어도 있다. 민법은 "사람은 19세로 성년에 이르게 된다"라고 정하고 있다. 성년은 성년후견 또는 한정후견을 받는 경우를 제외하고는 자유로운 의사에 따라 단독으로 법률행위를 할 수 있는 능력이 있는 것으로 본다.

성년에 이르지 못한 사람을 미성년자라고 하는데, 19세 미만인 경우이다. 미성년자는 단독으로 법률행위를 할 수 있는 능력이 부족하기에 미성년자가 법률행위를 할 때는 법정대리인의 동의를 얻어야 하고, 법정대리인의 동의 없는 법률행위는 취소할 수 있도록 정하고 있다.

인천 초등학생 살해 사건

──

잔혹 범죄를 저지른 소년에 대한 처벌을 어떻게 하느냐를 놓고 사회적 논쟁이 벌어지고 있다. 그 시작은 2017년 3월에 벌어진 인천 초등학생 살해 사건이었다.

2000년생으로서 당시 만 17세인 김 모 양이 같은 아파트에 사는 8세인 초등학교 2학년생을 "휴대전화를 빌려주겠다"며 집으로 유인한 뒤 잔혹하게 살해하고 시신을 아파트 옥상 물탱크에 유기한 사건이 벌어졌다. 유괴부터 살인, 사체 유기까지 2시간 안에 끝낼 정도로 범행은 치밀하고 주도면밀하게 이루어졌다. 그리고 사건을 조사하던 중 범행 현장에 있지 않았던 만 19세의 박 모 양이 김 양과 함께 범행을 모의했다는 것과 김 양이 사체 일부를 떼어 박 양에게 전달했다는 사실이 밝혀졌다.

사건을 수사한 검찰은 처음에는 김 양에 대해서는 살인과 사체 유기, 박 양에 대해서는 살인 방조와 사체 유기 혐의를 적용해 구속 기소했는데, 공판 과정에서 밝혀진 여러 가지 점들을 종합하여 김 양과 박 양 모두 살인과 사체 유기의 공동 정범으로 공소장을 변경했다.

살인죄에 관한 일반 조항은 형법 제250조로 "사람을 살해한 자는 사형, 무기 또는 5년 이상의 징역에 처한다"고 규정하고 있다. 그러나 이 사건은 피해자가 13세 미만의 미성년자이므로 김 양과 박 양은 특별법인 '특정범죄가중처벌 등에 관한 법률'에 따라 사형 또는 무기징역 중 하나를 선고받게 된다. 피해자의 나이를 기준으로 처벌의 정도를 달리한 사례이다.

그런데 문제는 가해자인 김 양 역시 만 17세로서 소년법의 적용을 받는다는 것이다. '소년법' 제59조는 "죄를 범할 당시 18세 미만인 소년에 대하여 사형 또는 무기형으로 처할 경우에는 15년의 유기징역으로 한다"고 규정하고 있다. 다만 '특정강력범죄의 처벌에 관한 특례법' 제4조 제1항에 따라 징역 15년이 아닌 20년을 선고할 수 있다. 즉 김 양에게 살인의 혐의가 인정되어도 형량은 길어야 20년을 넘지 못하는 것이다.

검찰은 김 양에게는 징역 20년, 박 양에게는 무기징역을 구형했다. 검찰 구형에 따르면 실제 살해 행위를 한 김 양에게 더 가벼운 형이 선고될 수 있다는 것인데, 이 문제가 알려지면서 소년법 개정이나 폐지 움직임이 일었다.

2018년 4월 30일 서울고등법원에서 열린 항소심에서 김 양에게는 1심과 같은 징역 20년을 선고했다. 공범 박 양은 살인 교사가 인정되지 않아 대폭 감형되었는데, 살인 방조 혐의만 인정해 징역 13년을 선고했다. 그리고 2018년 9월 13일 대법원은 이 원심 판결을 확정했다.

이 사건에 대한 국민적 분노는 매우 컸다. 잔혹 범죄를 저지른 사람이 범행 당시 18세 미만이었다는 이유만으로 가볍게 처벌받는다는 점을 받아들이기 힘든 국민 사이에서 불만의 목소리가 터져 나왔다.

소년법 개정 움직임과 비판

———

더불어민주당 표창원 의원은 2017년 7월 31일 특정강력범죄를 저지른 소년에게 사형 또는 무기징역의 처벌이 가능하도록 하고, 부정기형을 선고할 때도 그 장기와 단기에 대한 상한선을 삭제하는 것을 내용으로 하는 '특정강력범죄법' 일부 개정 법률안을 대표 발의했다. 그리고 더불어민주당 이석현 의원도 소년법 개정안을 국회에 제출했다.

형법에서 처벌 대상인 형사 미성년자 구분 연령을 현행 14세에서 12세로, 소년법에서 소년보호사건 심리대상의 범위를 현행 10~14세에서 10~12세로 낮추는 내용을 담았다. 또한 소년범의 법정형 상한을 20년의 징역 또는 장기 15년, 단기 7년의 징역으로 제한한 특정강력범죄법 조항을 잔인한 범죄를 저지른 소년범에게는 적용하지 않는 방안도 포함했다.

이 법안이 국회에서 통과되면 만 12세인 초등학생이 강력범죄를 저지를 때 법원이 사형을 선고할 수 있게 된다. 하지만 이 법안은 국회에 계류 중이다.

이 법안들에 대한 반대 의견도 만만치 않다. 표창원 의원이 대표 발의한 법안에 대해서는 민변 아동인권위원회가 "아동에 대한 가혹한 처벌은 또 다른 인권 침해일 뿐이다"는 제목의 성명을 발표하여 반대를 분명히 밝혔다. '유엔 아동 권리 협약'이 아동에게 사형과 절대적 종신형은 어떤 경우라도 금지해야 함을 명백히 규정하고 있고, 한국을 비롯한 다수의 국가에서 '아동의 생존권 및 발달을 위한 권리는 아동의 다른 인권을 위한 기초로서 두텁게 보호받아야 한다'는 인식으로 성인에 대한 형사사법 제도와는 구분되는 별도의 소년 사법 제도를 운영하고 있는데, 강력범죄가 한 건 발생했다고 해서 이를 포기하고 뒤집는 것은 있을 수 없다는 취지이다.

더불어민주당 금태섭 의원은 페이스북에 올린 글에서 이러한 법률 개정 움직임에 대해 "엄벌주의 효과 유무를 떠나서 이런 논의는 문제 해결에 도움이 되지 않는다"며 "만약 법률이 만들어진다 하더라도 대한민국이 그동안 비준한 각종 인권 관련 국제조약과 정면으로 충돌해 위헌 결정을 받을 가능성이 크고, 선진국 중에서 거의 유일하게 미성년자에 대해 사형 선고할 수 있었던 미국도 2005년 이를 위헌으로 선언하며 금지시켰다"며 비판했다.

소년법은 "반사회성이 있는 소년의 환경 조정과 품행 교정을 위한 보호처분 등의 필요한 조치를 하고, 형사처분에 관한 특별조치를 함으로써 소년이 건전하게 성장하도록 돕는 것을 목적으로" 제정된 법률이다. 이러한 법률 개정의 목적과 취지를 고려하여 법 개정 논의가 진행되는 것이 바람직하다.

소년법 개정은 매우 예민한 사안이다. 내가 페이스북에 금태섭 의원의 글을 링크하며 "소년에게 사형을 선고하는 나라를 만들고 싶은가?"라는 취지의 언급을 했는데, 이때 "당신의 아이가 당해도 그렇게 말할 수 있는가?"라는 댓글이 달린 적이 있다. 이 댓글은 우리 사회의 중요한 정서를 반영한다고 본다. 가볍게 여겨서는 안 된다.

먼저 피해자들의 고통을 헤아리고 전인적 치유를 위해 노력하는 과정이 법률 개정과 입법에 반드시 포함되어야 한다. 하지만 가해 청소년을 더 가혹하게 처벌하는 것으로는 청소년 범죄를 줄일 수 없다는 게 학계와 법조계의 의견이다. 오히려 사회적 부작용이 더 클 수 있다는 점을 염두에 두어야 한다. 설령 내 자녀가 피해자가 되더라도 이런 사실은 변하지 않는다.

청소년 보호 관련 법률

——

성범죄도 우리 사회에서 큰 문제 중 하나인데 성인에 대한 성범죄보다 아동이나 청소년에 대한 성범죄를 더 엄하게 다룬다. '아동·청소년의 성보호에 관한 법률'이라는 특별법을 만들어 아동·청소년에 대한 성범죄를 가중처벌하고 있다. 폭행·협박으로 간음·추행을 하더라도 그 상대가 아동·청소년인 경우 가중처벌하고, 성을 매수하는 경우 '성매매특별법'으로 처벌하지만 그 대상이 아동·청소년인 경우에는 '아동·청소년의 성보호에 관한 법률'을 적용해 강하게 처벌한다.

또한 아동·청소년 대상 성범죄의 공소시효는 '형사소송법' 제252조 제1항과 상관없이 해당 성범죄로 피해를 겪은 아동·청소년이 성년에 달한 날부터 진행한다는 특례 규정을 두었다. 공소시효도 일반 범죄와 달리 적용한 것이다.

성범죄뿐 아니라 유해 매체나 인터넷 도박 등으로부터 청소년을 보호하는 것도 중요한 문제이며 이에 대한 특별법이 있다. '청소년보호법'이 대표적이다. '청소년보호법'은 "청소년에게 유해한 매체물과 약물 등이 청소년에게 유통되는 것과 청소년이 유해한 업소에 출입하는 것 등을 규제하고 청소년을 유해한 환경으로부터 보호·구제함으로써 청소년이 건전한 인격체로 성장할 수 있도록 함을 목적으로" 제정된 법률이다.

이 법은 주류, 담배, 마약류, 환각물질, 습관성·중독성·내성 등을 유발하는 약물 등을 청소년 유해 약물로 규정한다. 그리고 청소년에게 음란한 행위를 조장하는 성기구 등 청소년의 사용을 제한하지 아니하면 청소년의 심신을 심각하게 손상시킬 우려가 있는 성 관련 물건, 청소년에게 음란성·포악성·잔인성·사행성 등을 조장하는 완구류 등 청소년의 사용을 제한하지 아니하면 청소년의 심신을 심각하게 손상할 우려가 있는 물건 등을 청소년 유해 물건으로 정의하여 청소년들이 청소년 유해 약물과 유해 물건에 접근하지 못하도록 다양한 규제를 두고 있다.

또한 청소년 유해 업소에 청소년들이 출입하지 못하도록 하는 규정도 두고 있다. 19세 미만의 청소년들에게 담배나 술을 팔다가 발각되어 영업 취소나 영업 정지 처분을 받는 것은 모두 '청소년보호법'의 규정 때문이다.

청소년 대상 성범죄

———

최근 아이까지 둔 30대의 여교사가 초등학생 제자와 성관계를 가진 엽기적 사건이 있었다. 두 사람은 합의로 성관계를 가진 것으로 인정되었지만 여교사가 구속되었다. 이 역시 소년을 다르게 대하는 우리 법률과 연관이 있다.

형법에서 정하는 성범죄는 성적 자기 결정의 자유를 침해하는 범죄이다. 성행위를 안 하고 싶을 때 안 할 수 있는 자유를 보호하는 것이다. 그런 의미에서 폭행 또는 협박으로 간음이나 추행하면 당연히 처벌받는다.

그런데 우리 형법은 미성년자 또는 심신미약자에 대하여 위계 또는 위력으로써 간음이나 추행하거나 업무, 고용 기타 관계로 인하여 자기의 보호 또는 감독을 받는 사람에 대하여 위계와 위력으로써 간음한 경우 등과 같이 폭행이나 협박이 없더라도 불평등한 지위를 이용하여 간음하거나 추행한 경우를 처벌한다. 여기서 위계는 상대방을 착오에 빠지게 하여 정당한 판단을 못 하게 하는 것을 말하며 기망뿐 아니라 유혹도 포함된다. 그리고 위력이란 지위나 권세를 이용하여 상대방의 의사를 제압하는 일체의 행위를 말한다.

그런데 폭행, 협박은 물론 위계 또는 위력에 의하지도 않고 두 사람의 자유로운 의사로 성관계를 했음에도 처벌하는 경우가 있다. 만 13세 미만의 사람을 간음하거나 추행한 것이 바로 그것인데, 이를 미성년자의제강간, 강제추행죄로 부른다. 13세 미만의 사람은 진정한 성적 자기 결정의 능력이 없다고 보는 것이다. 13세 미만인 사람의 방해 없는 성적 발전을 보호법익으로 삼는다.

예로 든 여교사가 바로 미성년자의제강간죄로 처벌받는 경우이다. 만일 그 상대방인 학생이 13세 이상의 미성년자였다면 여교사가 위계 또는 위력으로서 간음했는지를 가려야 했을 테지만, 13세 미만자이기에 폭행이나 협박이 있었는지, 위계 또는 위력을 사용했는지를 따지지 않고 바로 범죄가 성립한다.

미성년자의제강간 나이를 상향하자는 주장도 있다. 만 13세면 중학교 1~2학년인데, 이들이 일률적으로 성행위 여부 및 상대방을 결정할 수 있는 자유로운 의사 능력이 없다고 볼 수 있는지 생각해보아야 할 문제이다. 어른들 눈에는 말 그대로 아이로 보이겠지만, 그 나이의 청소년들에게 동의 능력, 판단 능력이 없다고 볼 수는 없다.

소년을 보는 모순된 시각

여러 사건을 대하는 여론을 보면 소년을 대하는 이중적 시각이 드러난다. 잔혹 범죄를 저지른 소년에게 사형과 무기징역의 선고가 가능해야 한다고 주장하는 대다수는 소년법이 만들어진 때보다 현재 청소년이 정신적·육체적으로 훨씬 성숙하여 잔혹 범죄도 더 많이 일어난다고 주장한다.

하지만 미성년자의제강간 대상자 나이를 올리자는 주장을 하는 사람들은 성행위 여부 및 그 대상자를 결정하는 청소년의 능력을 신뢰할 수 없다며 그 나이를 현행 만 13세 미만보다 더 올리자고 주장한다. 그리고 이 두 주장을 동시에 하기도 한다. 소년을 충분히 성숙한 존재로 볼지, 아니면 여전히 보호받아야 할 대상으로 볼지에 대해 모순이 존재한다.

공법상 권리나 의무에서도 소년은 성인보다 권리가 제한되거나 아예 없는 경우가 많다. 가장 대표적인 게 선거 연령이다. 현행 공직선거법은 선거 연령을 선거일 현재 19세 이상인 국민으로 정하고 있다. 종래 20세 이상이던 것을 2005년 6월 개정 당시 19세로 낮추었다. 제20대 국회에서 선거 연령을 18세로 낮추는 문제를 논의했으나 자유한국당에서 반대하여 법률 개정이 이루어지지 않았다.

선거 연령을 낮추는 데 반대하는 사람들은 첫째, 18세면 아직도 고등학생의 신분으로서 올바른 판단을 할 수 없다. 둘째, 선거 연령을 낮추려는 것은 청소년의 표를 얻으려는 인기영합적 주장이다. 셋째, 고등학생은 정치에 관여하지 말고 공부에 전념하여야 한다는 논리를 펼친다.

선거 연령을 낮추자고 주장하는 사람들은 첫째, 미디어의 발달로 청소년의 의식 수준이 성인과 크게 다르지 않다. 둘째, 대부분의 국가에서 만 18세 이상에게 선거권이 주어진다. 셋째, 군 복무, 결혼 등은 18세에 가능한데 선거권만 주어지지 않은 것은 불공평하다 등을 근거로 든다.

오스트리아와 브라질 등은 만 16세, 인도네시아와 북한 등은 만 17세에 선거권을 주고 있고, 19세인 나라는 우리나라가 유일하다. 바레인, 카메룬, 나우루공화국 등이 20세, 중앙아프리카공화국, 피지공화국, 가봉, 쿠웨이트, 오만, 말레이시아, 솔로몬제도 등이 21세이다. 근대적 민주주의가 발달한 미국, 독일, 영국, 프랑스, 폴란드, 오스트레일리아, 뉴질랜드, 캐나다, 일본 등은 모두 선거 연령이 18세이다.

청소년범죄에 대해 형량을 높이자는 것과 미성년자의제강간의 나이를 높이자는 주장 사이에 이율배반성이 존재하고 아직도 18세 청소년이 선거권도 누리지 못하는 현실을 보면 우리나라 성인들의 소년에 대한 태도가 어떠한지 많은 생각이 든다. 자기 이익이나 감정의 치우침을 따라 소년을 판단하지 않아야 한다.

강력한 처벌과 보호 강화만이 능사가 아니다. 그들을 진정으로 아끼고 존중해야 한다. 그리고 그 가치가 법에 녹아들어야 한다.

사형 제도 존폐 논란

최근 사형 판결

———

대법원은 2016년 2월 강원도 고성군 일반전방초소(GOP)에서 총기를 난사해 동료 5명을 살해하여 상관 살해 등으로 기소되었던 임 모 병장에게 사형을 선고한 원심을 확정했다. 임 모 병장에게는 제1심과 제2심 모두 사형이 선고되었다. 임 병장은 2014년 6월 21일 GOP에서 동료 병사를 향해 수류탄을 던지고 총기를 난사해 5명을 살해하고 7명을 다치게 한 혐의로 구속 기소되었다.

범행 후 탈영했던 임 병장은 스스로 목숨을 끊으려 했지만 실패해 체포되었다. 그는 "부대에서 집단 따돌림을 당한 분노로 범행을 저질렀다"며 선처를 호소했지만 받아들여지지 않았다. 이로써 임

병장은 사형이 확정되어 대기 중인 61번째 사형수가 되었다.

이에 앞서 2015년 8월 대법원은 결별한 여자친구의 부모에게 앙심을 품고 집에 찾아가 무참히 살해하고 그 자리에서 전 여자친구마저 간음하는 등 인면수심 범죄를 저지른 20대 대학생에게 사형을 선고한 원심을 확정했다. 이 대학생 역시 1심에서부터 줄곧 사형 선고가 유지되었다.

범죄 사실에 따르면 20대 중반인 대학생 A 씨는 2014년 2월 동아리에 가입한 B 씨와 사귀었는데, 2014년 4월 A 씨는 B 씨가 자신의 친구를 험담한다며 대여섯 번 뺨을 때렸고, 이 일로 B 씨가 헤어지자고 하며 만나주지 않았다고 한다. 며칠 뒤 B 씨를 만난 A 씨는 뒷골목에서 B 씨의 뺨을 열다섯 번이나 때리고 발로 몸을 차고 자신의 자취방으로 데려가 또 때렸다. 이로 인해 전치 3주의 진단이 나왔다. 이 때문에 B 씨의 부모가 A 씨의 부모를 찾아가 항의했다. A 씨는 자기 부모로부터 꾸중을 듣고 B 씨의 부모에 대해 앙심을 품게 됐다고 한다.

이후 A 씨는 2014년 5월 19일 배관 수리공으로 위장해 B 씨의 집으로 가서 배관 점검을 왔다고 거짓말을 하여 집 안으로 들어가 B 씨의 어머니를 흉기로 찌르고, 망치로 머리와 얼굴 등을 내리쳐 살해했다. 비명을 듣고 안방 화장실에 달려가 살해 현장을 목격한 B 씨의 아버지도 망치로 머리를 때리고 흉기로 찔러 살해했다.

그 후 A 씨는 B 씨 어머니 휴대전화로 B 씨에게 메시지를 보내 일찍 귀가하도록 종용했다. B 씨는 집에 돌아와 아버지가 피를 흘리면서 이불에 덮여 있는 것을 보고 그때까지 아버지가 살아 있는 것으로 알았다. B씨는 119에 신고를 할 수 있게 해달라고 간청했고 A 씨는 아버지를 살려주겠다며 극도의 공포로 항거 불능 상태에 빠진 B 씨를 간음했다. 아침까지 감금이 이어지자 B 씨는 탈출하기 위해 4층인 아파트 베란다에서 1층 화단으로 뛰어내려 112일간의 치료가 필요한 중상을 입었다. A는 살인, 준강간, 감금치상 등의 혐의로 구속 기소되어 대구지법 서부지원과 대구고등법원에서 각각 사형 선고를 받았고 대법원에서 사형이 확정됨으로써 2010년 이후 대법원이 사형을 확정한 9번째 피고인이 되었다.

헌법재판소와 대법원의 판단

헌법재판소는 사형 제도가 합헌이라고 판단했다. 2010년 2월 판결을 통해서이다. 그 내용을 보자.

5. (가) 사형은 일반 국민에 대한 심리적 위하를 통하여 범죄의 발생을 예방하며 극악한 범죄에 대한 정당한 응보를 통하여 정의를 실현하고, 당해 범죄인의 재범 가능성을 영구히 차단함으로써 사회

를 방어하려는 것으로 그 입법 목적은 정당하고, 가장 무거운 형벌인 사형은 입법 목적의 달성을 위한 적합한 수단이다.

(나) 사형은 무기징역형이나 가석방이 불가능한 종신형보다도 범죄자에 대한 법익침해의 정도가 큰 형벌로서, 인간의 생존본능과 죽음에 대한 근원적인 공포까지 고려하면, 무기징역형 등 자유형보다 더 큰 위하력을 발휘함으로써 가장 강력한 범죄 억지력을 가지고 있다고 보아야 하고, 극악한 범죄의 경우에는 무기징역형 등 자유형의 선고만으로는 범죄자의 책임에 미치지 못하게 될 뿐만 아니라 피해자들의 가족 및 일반 국민의 정의관념에도 부합하지 못하며, 입법목적의 달성에 있어서 사형과 동일한 효과를 나타내면서도 사형보다 범죄자에 대한 법익 침해 정도가 작은 다른 형벌이 명백히 존재한다고 보기 어려우므로 사형 제도가 침해 최소성 원칙에 어긋난다고 할 수 없다. 한편, 오판 가능성은 사법 제도의 숙명적 한계이지 사형이라는 형벌 제도 자체의 문제로 볼 수 없으며 심급 제도, 재심 제도 등의 제도적 장치 및 그에 대한 개선을 통하여 해결할 문제이지, 오판 가능성을 이유로 사형이라는 형벌의 부과 자체가 위헌이라고 할 수는 없다.

(다) 사형 제도에 의하여 달성되는 범죄 예방을 통한 무고한 일반 국민의 생명 보호 등 중대한 공익의 보호와 정의의 실현 및 사회방위라는 공익은 사형 제도로 발생하는 극악한 범죄를 저지른 자의 생

명권이라는 사익보다 결코 작다고 볼 수 없을 뿐만 아니라, 다수의 인명을 잔혹하게 살해하는 등의 극악한 범죄에 대하여 한정적으로 부과되는 사형이 그 범죄의 잔혹함에 비하여 과도한 형벌이라고 볼 수 없으므로, 사형 제도는 법익 균형성 원칙에 위배되지 아니한다.

6. 사형 제도는 우리 헌법이 적어도 간접적으로나마 인정하고 있는 형벌의 한 종류일 뿐만 아니라, 사형 제도가 생명권 제한에 있어서 헌법 제37조 제2항에 의한 헌법적 한계를 일탈하였다고 볼 수 없는 이상, 범죄자의 생명권 박탈을 내용으로 한다는 이유만으로 곧바로 인간의 존엄과 가치를 규정한 헌법 제10조에 위배된다고 할 수 없으며, 사형 제도는 형벌의 경고 기능을 무시하고 극악한 범죄를 저지른 자에 대하여 그 중한 불법 정도와 책임에 상응하는 형벌을 부과하는 것으로서 범죄자가 스스로 선택한 잔악무도한 범죄행위의 결과인바, 범죄자를 오로지 사회방위라는 공익 추구를 위한 객체로만 취급함으로써 범죄자의 인간으로서의 존엄과 가치를 침해한 것으로 볼 수 없다. 한편 사형을 선고하거나 집행하는 법관 및 교도관 등이 인간적 자책감을 가질 수 있다는 이유만으로 사형 제도가 법관 및 교도관 등의 인간으로서의 존엄과 가치를 침해하는 위헌적인 형벌 제도라고 할 수는 없다.

정리하면 사형은 강력범죄에 대한 범죄 지력이 있고, 극악한 범죄에 대한 정당한 응보로서 정의를 실현하는 의미가 있으며, 당해 범죄인의 재범 가능성을 영구히 차단함으로써 사회를 방어하려는 형벌 제도로서 정당성을 갖는다는 것이다. 더 나아가 극악한 범죄의 경우에는 무기징역형 등 자유형의 선고만으로는 범죄자의 책임에 미치지 못하게 될 뿐만 아니라 피해자들의 가족이나 일반 국민의 정의관념에도 부합하지 못하며, 사형과 동일한 효과를 나타내면서도 사형보다 범죄자에 대한 법익 침해 정도가 작은 다른 형벌이 명백히 존재한다고 보기 어려우므로 사형 제도는 헌법에 위배되지 않는다는 것이다.

그리고 사형 폐지론자들이 드는 논거 중 하나인 오판 가능성에 대해 헌법재판소는 "오판 가능성은 사법 제도의 숙명적 한계이지 사형이라는 형벌 제도 자체의 문제로 볼 수 없으며 심급 제도, 재심 제도 등의 제도적 장치 및 그에 대한 개선을 통하여 해결할 문제이지, 오판 가능성을 이유로 사형이라는 형벌의 부과 자체가 위헌이라고 할 수는 없다"고 판시했다.

대법원은 사형 제도가 제한적이어야 하지만, 꼭 필요하다고 판단될 때는 판결할 수 있다는 입장이다. 앞에서 사례로 든 전 여자 친구 부모 살해 등 사건에서 "사형은 인간의 생명을 박탈하는 냉엄한 궁극의 형벌로서 사법 제도가 상정할 수 있는 극히 예외적인 형벌이라는 점을 감안할 때, 사형의 선고는 범행에 대한 책임의 정도와 형벌의 목적에 비추어 누구라도 그것이 정당하다고 인정할 수 있는 특별한 사정이 있는 경우에만 허용되어야 한다. 따라서 사형의 선고 여부를 결정함에 있어서는 형법 제51조가 규정한 사항을 중심으로 범인의 연령, 직업과 경력, 성행, 지능, 교육 정도, 성장 과정, 가족관계, 전과의 유무, 피해자와의 관계, 범행의 동기, 사전 계획의 유무, 준비의 정도, 수단과 방법, 잔인하고 포악한 정도, 결과의 중대성, 피해자의 수와 피해 감정, 범행 후의 심정과 태도, 반성과 가책의 유무, 피해 회복의 정도, 재범의 우려 등 양형의 조건이 되는 모든 사항을 철저히 심리하여야 하고, 그러한 심리를 거쳐 사형의 선고가 정당화될 수 있는 사정이 있음이 밝혀진 경우에 한하여 비로소 사형을 선고할 수 있다"고 판시했다.

위 사건처럼 범행의 동기를 일반인의 상식으로 도저히 이해할 수 없고, 범행 방법이 매우 잔혹하며 범행 종료 후 식도를 구입하는 등 추가 범행을 계획한 것으로 보이는 등 범행 후의 정황이 매우 나쁘고, 피해자 B 씨가 입었을 정신적 충격이 이루 말할 수 없으며 사회에 복귀할 경우 재범을 저지를 가능성이 있다고도 볼 수 있는 점 등을 종합하여 사형을 선고하는 것이 타당하다고 판단했다.

대법원은 위 사건에서 "사형 제도에 관하여는, 국가가 생명의 절대적 가치를 전제로 하면서도 국가에 의한 인간의 생명의 박탈을 제도적으로 허용하여서는 안 된다거나 사형의 범죄 예방 효과가 크지 않고 오판의 가능성을 배제할 수 없다는 등의 이유로 이를 폐지하여야 한다는 논의가 계속되어왔고, 우리나라에서는 1998년 이래 지금까지 장기간 사형 집행이 이루어지지 않고 있어 사형 선고의 실효성 자체에 대해서도 의문이 제기되고 있으며, 최근에 사형 제도를 폐지하는 내용의 법안이 국회에 발의되어 있기도 하다. 그러나 사형 제도의 폐지에 관한 입법자의 결단이 아직 이루어지지 아니하고 있고, 헌법재판소 또한 사형 제도가 헌법에 위반되지 아니한다고 선고한 바 있는 이상, 법을 적용하는 법원으로서는 현행 법제상 사형 제도가 존치하고 그것이 합헌으로 받아들여지고 있는 한, 법정 최고형으로 사형이 규정되어 있는 범죄에 대하여 최고형을 선고함이 마땅하다고 판단되는 경우 사형을 선고하는 것이 불가피한 선택이라고 하지 않을 수 없다"라고 했다.

사형 제도 존폐 여론

———

강원도 고성 GOP 사건은 군대에 보낸 멀쩡한 자식이 목숨을 잃는 것을 경험한 부모 심정을 고려할 때, 대구의 전 여자친구 사건은 범행 방법과 수단의 잔혹함 때문에 사형을 선고하는 것이 마땅하다고 생각하는 사람이 많다.

하지만 이런 사건들 속에서도 여전히 사형 제도 폐지의 목소리가 높다. 대구 사건 판결에서 대법원이 밝힌 것처럼, 국가가 생명의 절대적 가치를 전제로 하면서도 국가에 의한 인간 생명 박탈을 제도적으로 허용하여서는 안 된다. 사형의 범죄 예방 효과가 크지 않다, 오판 가능성을 없앨 수 없다는 것이 그 이유이다.

먼저 사형이 범죄 예방 효과가 있다면 사형 제도가 유지되는 나라의 강력범죄 비율이 사형 제도 폐지 국가보다 낮아야 한다. 하지만 그렇다고 인정할 만한 의미 있는 통계가 존재하지 않는다. 오판 가능성도 중요하다. 박정희 정권에 의해 자행되었던 2차 인혁당 사건은 차치하더라도 치과 의사 모녀 살해 사건, 강기훈 유서 대필 사건, 삼례 나라슈퍼 3인조 강도살해 사건 등 법원의 판단이 잘못된 사례들이 얼마든지 있다. 만약 사형 집행 후에 재판이 잘못되었음이 밝혀지더라도 이를 회복할 방법이 없다.

하지만 사형 제도는 단지 오판 가능성의 문제로만 접근할 수 없는 면이 있다. 오판 가능성이 전혀 없을 때도, 그리고 극히 악랄한 범죄라 하더라도 생명의 절대적 가치를 전제로 하여 형성된 근대 민주 국가에서 국가에 의한 생명의 박탈을 제도적으로 허용하는 것이 가능한지에 대한 좀 더 근본적 문제의식에서 접근해야 한다. 한마디로 국가에 국민의 생명을 빼앗는 권한까지 위임되었다고 볼 수 있는가의 문제이다. 또한 사형은 형벌의 목적인 교정·교화의 기회가 영원히 박탈된다는 데서 문제가 있다. 그 밖에도 종교적 이유로 사형제 폐지를 주장하는 사람도 많다. 그들에 의하면 생명을 부여한 신이 아니면 사람의 생명을 빼앗을 권한은 없다. 설령 국가라 하더라도 이 권한을 가질 수 없다는 것이다.

하지만 사형 제도에 대한 찬성 여론이 더 높다. 사형 제도에 대한 여론조사를 처음 했던 1994년에는 찬성 70%, 반대 30%로 찬성이 압도적으로 많았다. 2004년 유영철 사건 때도 찬성이 66%를 차지했다고 한다. 대한변호사협회는 2015년 9월에 회원 1,426명을 설문조사했는데, 53%인 752명이 사형 제도 존치에 찬성했다. 사형제 폐지에 찬성하는 의견은 47%(671명)로 찬성보다 6%p 적었다. 대한변호사협회는 이러한 설문조사 결과를 토대로 국회에 사형제 존치 의견서를 제출하기도 했다.

그런데 변호사들은 사형제 존치의 이유로 흉악범 사형이 정의에 부합(42%), 흉악범죄의 유효한 억제책(37%), 국민이 사형 제도 지지(17%) 등을 들었다. 사형 제도를 존치할 때 개선책으로는 사형의 구형과 선고의 신중함(40%), 재심 여지가 있는 사형수에 대한 일정 기간 집행유예(37%) 등을 꼽았다. 반면 사형 제도 폐지에 찬성한 변호사들은 가석방, 사면, 감형 등이 불가능한 절대적 종신형으로 대체(67%)를 가장 많이 대안으로 꼽았고 가석방, 사면, 감형 등이 가능한 상대적 종신형으로 대체(22%) 의견과 무조건 폐지(10%) 의견이 그 뒤를 이었다.

실질적 사형 폐지 국가

———

미국은 주마다 사형 제도 존재와 폐지가 다르다. 몇몇 주에는 사형 제도가 존재한다. 이런 이유로 유럽연합(EU) 소속 국가 중에서는 미국을 인권 후진국이라고 부르는 곳도 있다. 유럽평의회 의무 사항인 유럽인권협약뿐만 아니라 EU기본권헌장도 사형 제도를 절대 금지하고 있다. EU에 가입하려면 반드시 사형 제도를 폐지하여야 한다. 터키는 EU 가입을 위해 2004년 사형 제도를 폐지했다가 2016년 쿠데타 사건 후 가담자들에게 사형을 선고하기 위해 사형 제도 부활을 공언했다.

이러한 결정 때문에 국제 사회가 경악했고, 세바스티안 쿠르츠 오스트리아 외교부 장관은 "사형제 부활은 터키가 EU로 통하는 문을 스스로 걷어차버리는 것"이라고 비난했다. 이렇듯 EU는 그 가입국에 사형 제도 폐지를 강력하게 요구하고 있다. 학자 중에서는 현대 문명 국가 여부를 가리는 기준의 하나로 사형 제도의 존재 여부를 드는 사람도 있다.

우리나라에서는 김영삼 정부 말기인 1997년 12월 30일, 세상을 떠들썩하게 했던 지존파 등 사형수 23명을 교수형에 처한 후 김대중 대통령 시절부터 지금까지 단 한 건도 사형 집행을 하지 않고 있다. 그래서 국제 사회는 한국을 실질적 사형 폐지 국가로 부르고 있다. 그러나 만약 박근혜 정부 시절 최순실이 "우주의 기운을 받아 사형을 집행해야 국운이 돌아온다"고 제안하고 박근혜 전 대통령이 이것을 진지하게 받아들였다면 어떤 일이 일어났을지를 가정해볼 수 있다. 이미 국정 농단 사태를 경험했기에 이런 가능성을 고려하지 않을 수 없다. 언제든 최고 권력자 또는 비선 실세의 결심에 따라 사형이 집행될 수 있는 구조다.

'사실상 폐지'라는 모호한 용어로 법률 상태를 유지할 수는 없다. 사형 제도를 존치할지 폐지할지의 문제도 우리 사회가 성숙한 토론을 해야 하는 주제 중 하나이다.

강력범죄 때마다 들끓는 여론 등 국민 정서를 보면 우리나라에서 사형 제도 폐지는 시기상조라는 생각이 들 수 있다. 하지만 다른 나라들에서 국민의 강력한 반대를 뚫고 사형 제도를 폐지했던 선례가 있다. 사형 제도 폐지는 이성적인 사회 전체의 토론과 입법자의 결단이 필요한 문제이다.

미투와
미투 아닌 것

미투 운동의 전개

———

'미투'는 사회관계망서비스에 'Me Too'라는 해시태그를 달아 (#MeToo) 자신이 겪었던 성범죄를 고백함으로써 그 심각성을 알리는 캠페인이다. 미국 할리우드의 유명 영화 제작자 하비 와인스타인의 성 추문 사건 이후 영화배우 알리사 밀라노가 2017년 10월 15일 처음 제안하면서 시작됐다. 성범죄를 당한 당사자들이 '나도 피해자(Me Too)'라며 글을 쓴다면 주변에 얼마나 많은 피해자가 있는지 드러나며 사회적 경각심을 불러일으킬 수 있다는 취지였다.

알리사 밀라노가 미투 캠페인을 제안한 지 24시간 만에 약 50만 명이 넘는 사람이 리트윗하며 지지를 표했고, 8만여 명이 넘는 사람들이 #MeToo 해시태그를 달아 자신의 성폭행과 성추행 경험담을 폭로했다.

국내에서는 2018년 1월 서지현 창원지검 통영지청 검사가 안태근 전 법무부 국장의 성추행을 폭로한 것을 계기로 미투 운동이 본격적으로 시작됐다. 그리고 법조계에서 시작된 미투 캠페인은 문단, 연극계 등 문화·예술계, 정치계로까지 번지면서 큰 파문을 일으켰다. 뛰어난 연극 연출가로서 연극계의 대부로도 불리는 이윤택 연희단패거리 전 대표를 비롯한 성폭력 피해 사례들이 폭로되었고, 급기야 대선 당내 경선에서 떨어지기는 했지만 유력한 대선 후보 중 한 명으로 평가되던 안희정 전 충남지사에 대한 폭로도 이어졌다. 폭로는 검찰 수사로 이어져 이윤택 씨는 구속되었고 안희정 전 지사는 대법원에서 유죄가 확정되어 3년 6개월의 징역을 살고 있다.

미투 아닌 것

―

그런데 이 와중에 미투 아닌 것이 미투로 위장해서 문제를 일으켰다. 많은 사람이 '미투'라는 용어를 사용하기는 하지만 원래 그 단어가 생겨날 때와는 다른 의미로 변한 사례도 있다.

2018년 지방선거 운동이 한창이던 때였다. 어떤 사람이 나에게 귓속말로 "A 후보는 안 되겠더라"라고 했다. 무슨 말인지 물으니

"그 사람 미투 문제가 있어"라고 대답했다. 나는 깜짝 놀라 무슨 일이냐고 반문할 수밖에 없었다. 공직에 진출하고자 지방선거에 출마하는 사람이 성범죄 전력이 있다면 심각한 문제라고 생각했기 때문이다. 그런데 그 사람의 대답은 "여자 문제가 있다더라"는 것이었다. 이미 결혼하여 배우자가 있는 A가 다른 이성과 불륜을 저질렀다는 소문이 있다는 의미라고 했다. 물론 공직을 맡고자 하는 사람은 일반인보다 더 높은 도덕성이 요구되므로 지방선거에 출마하고자 하는 사람이 배우자를 두고 부정행위를 했다는 것이 검증의 대상인 것은 맞다. 그러나 이것이 미투의 문제는 아니다. 미투는 성범죄 피해에 대한 자기 고백으로서 출발한 것이기 때문이다.

안희정 전 충남지사의 문제가 폭로되었을 즈음 안희정에 이어 충남지사 출마를 준비하던 박수현 전 청와대 대변인의 문제가 불거졌다. 내연녀를 지방의원 비례대표 공천을 주었다는 폭로에서 출발한 것이었다. 이미 이혼한 전처가 나서서 "결혼 전부터 여자 문제가 복잡했다"고 까발리기도 했다.

거듭 말하지만, 공직에 진출하고자 하는 사람들은 일반인보다 더 높은 도덕성이 요구된다. 박수현 전 청와대 대변인의 문제도 공직 후보자에 대한 도덕성 검증 차원에서는 충분히 제기 가능한 문제라 생각한다. 그러나 이 역시 성범죄 문제는 아니어서 미투가 논의되는 때를 이용해 제기할 성격은 아니었다.

미투는 성범죄를 당한 피해자의 자기 고백 운동으로서 미투를 거론할 때는 성폭력, 성희롱 등 성범죄라 할 만한 것들을 중심으로 해야 할 필요가 있다.

미투의 대상

성범죄와 관련해서는 성폭력, 성희롱 또는 강간, 강제추행 등 여러 용어가 혼재되어 사용된다. 종래 성범죄는 강간이나 강제추행으로 불렸다. 그러다가 '성폭력범죄의 처벌 등에 관한 특례법'이 생기면서 성폭력이라는 단어가 법전에 들어왔다. 그런데 '성폭력범죄의 처벌 등에 관한 특례법'은 성폭력범죄라는 용어를 독자적으로 정의하지 않고, 기존 형법전에 있던 죄 가운데 성과 관련되는 것을 모두 망라하여 열거하고 있다.

형법에 성 풍속에 관한 죄로 규정하고 있던 음행 매개나 음화의 제조·반포, 공연음란 등과 사람을 약취하거나 유인하는 죄 가운데 성범죄를 포함하는 경우, 강간이나 강제추행 또는 업무상 위력에 의한 간음과 미성년자에 대한 간음·추행 등을 모두 성폭력범죄로 규정한 것이다.

이 중에서 간음과 추행의 죄는 개인의 성적 자유나 애정의 자유를 침해하는 것을 내용으로 하는 범죄를 말한다. 개인의 성적 자기 결정의 자유를 침해하는 범죄라 할 수 있다. 여기서 말하는 성적 자기 결정이란 엄밀히 말하면 성행위를 할 자유를 의미하는 것이 아니라 성행위로부터의 소극적 자유, 즉 하고 싶지 않은 것을 안 할 수 있는 자유를 의미한다. 나라에 따라서는 간음과 추행의 죄를 사회적 성 풍속 보호의 장에 두기도 하지만, 우리나라는 성 풍속을 해하는 죄와 구별하여 순수히 개인의 자유를 보호하는 범죄로 규정하고 있다.

강간죄는 폭행 또는 협박으로 사람을 간음한 때에 성립한다. 예전에는 부녀를 간음한 때라고 되어 있어서 남성에서 여성으로 성전환 수술을 받은 자를 여성으로 알고 폭행 후 간음한 자를 강간죄로 처벌할 수 있는지 논란이 일기도 했었다. 지금은 범죄의 객체를 '사람'이라고 함으로써 남성의 여성에 대한 간음, 여성의 남성에 대한 간음, 성전환자에 대한 간음 모두 강간죄가 성립한다.

추행의 죄 역시 폭행 또는 협박으로 사람을 추행한 때 성립하는데, 추행이란 성욕의 흥분, 자극 또는 만족을 목적으로 하는 행위로서 건전한 상식 있는 일반인의 성적 수치·혐오의 감정을 느끼게 하는 일체의 행위를 말한다.

간음이나 추행의 죄가 성립하려면 폭행 또는 협박이 있어야 한다는 게 법률 규정이다. 그리고 여기서 폭행 또는 협박의 정도는 상대방의 항거를 불가능하게 하거나 현저히 곤란하게 하는 정도여야 한다고 되어 있다. 과거에는 이 '항거를 불능하게 하거나 현저히 곤란하게 한다'는 점을 비교적 엄격하게 해석하다 보니 간음죄로 기소된 자가 법정에서 '상대방이 굳이 항거하려면 항거할 수 있는 상태였다'며 무죄를 주장하는 경우가 많았다. 강간죄를 저지른 것에 비견될 만큼 피해자에게 폭력적이었다.

하지만 근래에는 이 부분을 훨씬 넓게 해석하는 추세이다. 한마디로 성행위를 한 당사자 사이의 완전한 합의가 없었다면 간음죄가 성립한다고 판결하는 경우가 많다. 과거에는 '정조를 지키기 위해 목숨을 걸어야 한다'는 봉건적·남성적 시각에서 여성의 적극적 항거가 없으면 성행위에 동의하는 것으로 보아야 한다는 시각이 많았다. 그러나 요즘은 여성이 원하지는 않지만 거부가 소극적인 경우, 어떠한 형태로든 위해를 당할 가능성이 있다고 판단하여 일단 상대방의 요구에 응하고 난 후 상대 남성이 샤워하는 동안 112에 고소한 경우에도 강간죄를 적용할 정도로 인정 범위가 넓어졌다.

안희정 전 충남지사의 비서였던 김지연 씨는 JTBC 〈뉴스룸〉에 출연해 성폭력을 당했다고 폭로한 후 변호사를 통해 서울서부지검에 안 전 지사를 고소했다. 고소한 죄명이 업무상 위력에 의한 간음이었다.

업무상 위력에 의한 간음죄란 업무, 고용, 기타 관계로 인하여 보호 또는 감독을 받는 부녀에 대하여 위계 또는 위력으로서 간음한 경우에 성립하는 범죄이다. 보호 또는 감독받는 자의 성적 자유가 부당하게 침해되는 것을 보호하려는 것이다. 여기서 업무는 개인적 업무와 공적인 업무를 포함하며 고용은 사용자와 피용자의 관계를 말한다. 기타 관계는 보호, 감독을 받는 경우를 말한다.

그리고 위계는 상대방을 착오에 빠뜨려 정당한 판단을 못 하게 하는 것을 말하는데 기망뿐 아니라 유혹도 포함된다. 위력이란 사람의 의사를 제압하는 힘을 말하는 것으로서 폭행, 협박은 물론 지위와 권세를 이용하여 상대방의 의사를 제압하는 일체의 행위를 포함한다. 다만 폭행, 협박의 경우 그것이 강간죄나 강제추행죄의 폭행·협박, 즉 항거를 불가능하게 하거나 현저하게 곤란하게 하는 정도에 이르지 않아야 한다.

안희정 전 지사를 고소한 김지연 씨의 경우 안 전 지사가 자신을 고용한 사람이고 더욱이 도지사의 지위와 권세로 인해 의사가 제압되어 성관계를 맺었다는 취지였다. 최근에는 현실적 폭행, 협박이 없었더라도 항거하는 것을 곤란하게 하는 사정이 있었다면 강간죄를 인정하는 추세인 점을 고려하면 안 전 지사를 위력에 의한 간음으로 고소할 만한 충분한 법적 요건이 되었던 것으로 보인다.

지금까지 대부분의 성범죄는 폭행, 협박 등 수단을 통하여 성적 자기 결정권을 침해하는 것을 일컬어왔다. 이 때문에 직접 신체적 행위가 수반되지 않은 언어나 행동에 의한 경우는 처벌하지 않았고, 특별히 규제 대상이 되지도 않았다. 그러다가 '여성발전기본법'에서부터 성희롱이라는 용어를 법적 개념으로 사용했고, 지금은 '양성평등기본법'에서 성희롱을 정의하고 있다.

성희롱이란 업무, 고용, 그 밖의 관계에서 사용자 또는 근로자가 지위를 이용하거나 업무 등과 관련하여 성적 언동 또는 성적 요구 등으로 상대방에게 성적 굴욕감이나 혐오감을 느끼게 하는 행위, 상대방이 성적 언동 또는 요구에 대한 불응을 이유로 불이익을 주거나 그에 따르는 것을 조건으로 이익 공여의 의사표시를 하는 행위를 의미한다고 규정되었다. 직접 신체적, 물리적 접촉이 없는 상태에서 성적 언동 또는 성적 요구 등으로 상대방에게 성적 굴욕감이나 혐오감을 느끼게 하는 행위를 성희롱으로 본 것이다.

그런데 우리나라는 '양성평등기본법'에서 고용과 업무에서 성차별을 하면 안 되고 성희롱 예방을 위한 제반의 조치를 하여야 하며 직장 내 성희롱이 발생하면 피해자 보호와 가해자를 징계하는 등 조치를 해야 하고 이를 하지 않으면 불이익을 주도록 규정하고 있다. 그러나 성희롱 행위 자체를 처벌하는 규정은 없다.

성희롱도 성폭력과 마찬가지로 성범죄로 취급되는 것이 일반적이다. 하지만 성폭력으로 평가되는 행위는 형사처벌이 뒤따르지만, 성희롱은 그렇지 않다. 성희롱에 대해서는 모욕으로 볼 수 있는 경우에는 모욕죄로 형사처벌이 가능하다. 그렇지 않을 때는 성희롱으로 인해 정신적 고통을 받았음을 이유로 손해배상 청구를 할 수 있을 뿐이다.

성범죄를 당한 사람이 그 사실을 떳떳하게 알리지 못한 것은 비단 우리나라만의 문제는 아니다. 그러나 엄연히 범죄로 볼 만한 행위의 피해자가 이를 드러내는 것을 부끄럽게 여기는 풍조는 반드시 척결되어야 한다. 그런 의미에서 미투 운동은 완력이 세다거나 상급자로서 인사 고과와 승진 점수를 좌우할 지위가 있다거나, 연출자로서 캐스팅 권한을 가지고 있다거나, 교수로서 학생에 대한 평가 권한을 가지고 있다는 등 권력 관계를 이용하여 지배와 피지배 관계에 있는 사람의 성적 자기 결정권 침해 행위에 맞서고 이를 척결하고자 하는 사회운동으로 매우 의미 있는 움직임이다. 이는 남성과 여성 모두에게 적용된다.

피해자가 조심스레 손을 들고 "나도 피해자예요"라고 소심한 자기 고백을 하는 이 조그마한 몸짓을 우리는 소중하게 생각하고 이것이 사회를 바꾸고 더욱 이성적이고 합리적이며 진보적인 인간으로 성장하게 하는 사회적 계기가 되도록 노력해야 한다.

이렇듯 귀중한 노력인 미투와 미투 운동의 분위기를 이용하여 자기 욕망을 채우려는 사람을 경계해야 한다. 이것은 이 소심한 자기 고백 운동에 찬물을 끼얹어 사회적 발전과 진보를 가로막는 결과가 될 수도 있다는 점을 명심하여야 할 것이다.

서동용의
따순 밥상
따뜻한 법

1판 1쇄 인쇄 2019년 12월 5일
1판 1쇄 발행 2019년 12월 10일

지은이 서동용

펴낸이 최준석
펴낸곳 한스컨텐츠
주소 경기도 고양시 일산동구 정발산로 24, 웨스턴돔 T1-510호
전화 031-927-9279 팩스 02-2179-8103
출판신고번호 제2019-000060호 신고일자 2019년 4월 15일

ISBN 979-11-966920-5-6   03340

이 도서의 국립중앙도서관 출판예정도서목록(CIP)은 서지정보유통지원시스템 홈페이지
(http://seoji.nl.go.kr)와 국가자료공동목록시스템(http://www.nl.go.kr/kolisnet)에서
이용하실 수 있습니다. (CIP제어번호 : CIP2019049553)